元日本代表コーチ
増田健太郎 監修

メイツ出版

はじめに

トップ選手が身につけている技術や戦術を学びシングルスで勝つ!

本書はシングルスで勝つために身につけておきたいテクニックや戦術から、練習での取り組み方やメンタルなどの精神面まで、トップ選手なら身につけている全てを紹介しています。

さらに、本書の大きな特徴として、コートを大きく「ディフェンスエリア」「アタックエリア」「フィニッシュエリア」に分けて解説しています。試合中の様々な局面において、それぞれのエリアから適切なショットを打つことができれば、試合を有利に進めることができます。

この考え方は、私が現役時代に６年間拠点としていたスペインで学んだものです。そして10年間、日本代表ナショナルチームのコーチとして、指導してきた内容も盛り込んでいます。指導している選手はもちろん、現在運営しているMTSテニスアリーナ三鷹で一般の方々にもコーチングスタッフを通じて伝えている方法です。

ぜひ、本書を手に取り、シングルスで勝つ喜びを知っていただきたいと思います。

増田健太郎

uken Tennis

CONTENTS

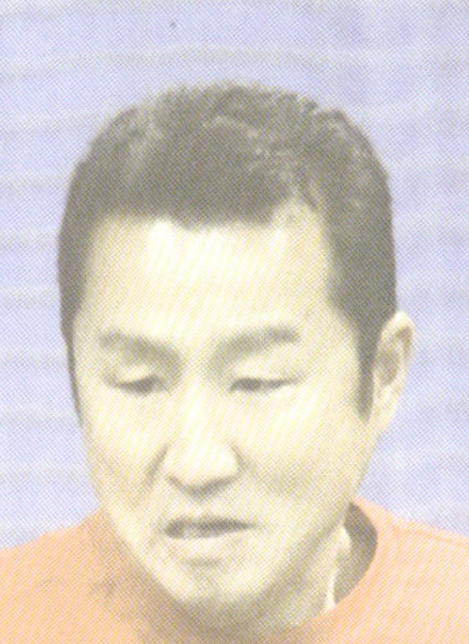

※本書は2018年発行の『テニス 勝つ!シングルス 試合を制する50のコツ』を元に加筆・修正、装丁を変更し、「増補改訂版」として新たに発行したものです。

本書の使い方

本書では写真と文章を使って、シングルスで勝つためのテクニックや戦術を紹介しています。トップ選手の試合に対する考え方をしっかりと学びましょう。

コツ番号
1~50まで合計50のコツを紹介します。

タイトル
このプレーを身につける上でもっとも大切なポイントです。

本文
ショットの打ち方やテクニックの使い方や気をつけることなどを解説します。

コツ 01 Part 1
ディフェンスエリアのテクニック

コートの深い位置を狙ってボールをコントロールする

POINT 1 ボールが浅いと相手にアタックエリアへ入られる

NG
HEAD
adidas
打球が浅いと相手選手はアタックエリアへ入り、簡単に攻め込まれてしまう。

相手を前に来させないようにコントロール

シングルスでは、つねに主導権を握ってプレーできていることが重要になります。そのためには、相手がアタックエリアに入るのを阻止して、自分がアタックエリアに入ることを考えなければいけません。
ボールコントロールが浅いとアタックエリアに入られてしまい、ゲームの主導権を握ることができません。ディフェンスエリアからボールを深くコントロールすることを心掛け、自分がアタックエリアに入っていけるようにつねにボールを深い位置へコントロールしましょう。

30

ポイント
手順の中でとくに意識したいことや覚えてほしいポイントを紹介します。

チェックポイント
❶ボールが浅いと相手にアタックエリアへ入られる
❷相手コートの深いエリアにボールをコントロールしよう
❸ネットの高い位置を通すように意識しよう

+1 レベルアップ
練習から深いボールを意識すること
試合になると緊張感から練習のときよりもボールが浅くなりやすいものです。そのため、普段の練習からつねに深く狙えるように意識することが必要です。試合のときも、多少リスクを取ってでも深くボールをコントロールできれば有利に進められます。

+1レベルアップ
より高いレベルを目指すために押さえておきたいテクニックや基本として振り返っておきたい考え方を紹介します。

POINT 2 相手コートの深いエリアにボールをコントロールしよう

深い球を打つことで、相手選手はディフェンスエリアで対応せざるを得なくなる。

手順
文章と写真を使ってプレーについて説明しています。

POINT 3 ネットの高い位置を通すように意識しよう
深いボールを狙うにはネットから高い位置にボールを通す必要があります。軌道が低いと浅くなってしまいます。深いボールを打つには少し高い軌道で打つことを意識しましょう。

31

シングルスで勝つための
極意
「7か条」

本書を読み進める前に、前提知識として知っておきたいシングルスとダブルスの違いや、試合中に意識しておきたいシングルスならではのポイントを紹介します。

極意①

シングルスは一人で
コート1面全てを守るので、
どこにボールが来ても
取りにいける
ポジショニングを
意識しよう

シングルスの一番大きな特徴は1面のコート全てを基本的に一人で守らなければいけないということです。ダブルスとは違い、どこにボールが来ても、取りに行ける位置に常にいることが求められます。その位置は自分がボールを打った場所によって変わります。自分がどの範囲まで動けるか、相手のショットがどれぐらい速いのか、自分と相手の力量、相手の癖などを全て総合的に判断した上でポジショニングを意識しながら構えておかないと試合に勝つことはできません。

たとえば、相手がクロスが得意な場合、セオリー通りに全てをカバーできる立ち位置ではなく、クロス寄りに立つなどして、臨機応変に対応することが重要です。

全方向に行ける位置にポジショニングする！

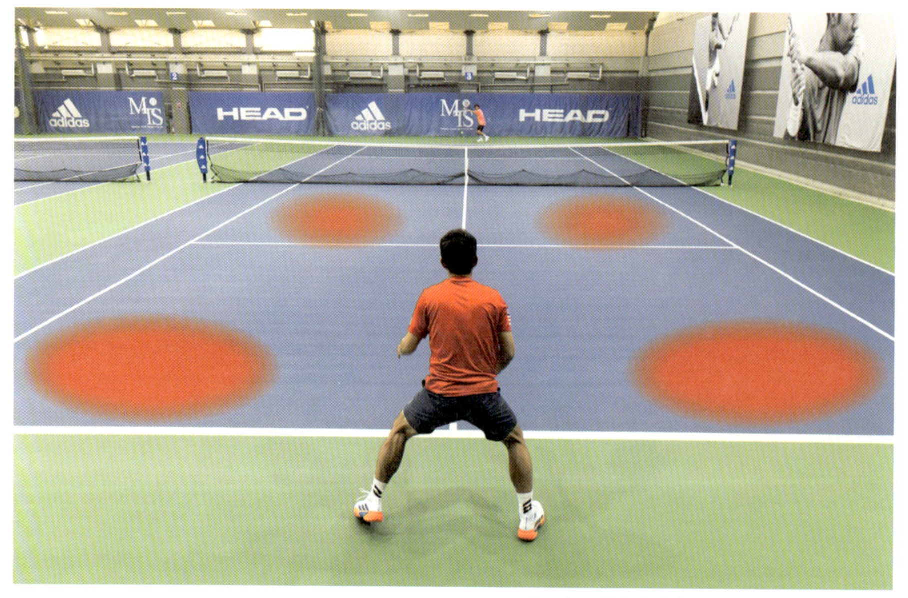

赤い色で示したような、どのエリアに相手のボールが来ても取りにいけるように、オープンエリアを作らないポジショニングをしよう。

相手が打つ位置によってポジショングが変化する！

相手がフォアサイドから打って来る場合、クロスコートに打たれたショットはカラダから離れて行くので、少しクロスよりにポジショニングするなど、相手の打つ位置に応じて守る位置を変えることが必要になる。

ボレーもストロークと同じ！

アプローチショットを打った後、自分がどこに打ったかで守る位置を変える必要がある。相手がパッシングを打つ位置の真ん中にポジショニングして行き、アプローチの良し悪しに応じてロブへの対応も含めた位置にポジショニングできるようにしていこう。

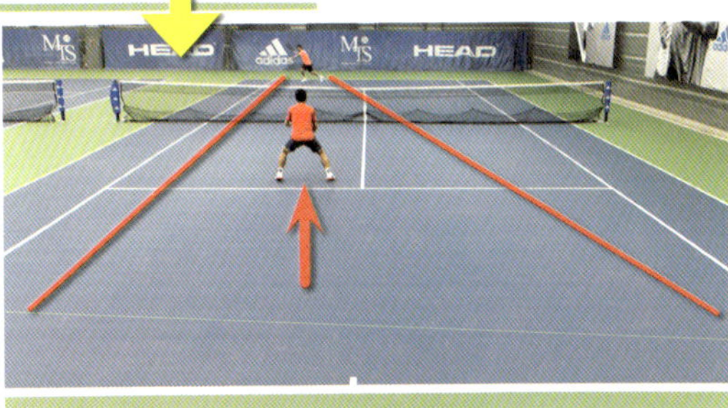

クロスに打つとポジションも変わる！

クロスにアプローチショットを打った場合、下の写真のようなポジションになる。自分の打ったボールによって、大きくポジションが変わることを常に意識しよう。

極意②

シングルスのポイントは
エースよりもミスで
終わることが多いので
試合に勝つためには
ミスを徹底的に減らそう

シングルスでポイントの勝敗が決まるとき、エースを取って終わることよりミスでポイントが終わることが圧倒的に多いです。これはトップの選手でも同じです。それほどミスを減らすことは簡単なようで実はとても難しいのです。

そのため、ポイントを決めるエースを増やそうとするよりも、ポイントのほとんどの割合を占めるミスを徹底的に減らす意識を持たない限り、なかなか試合に勝つことはできません。

自分からポイントを取りに行くことばかりを考えて、リスクの高いプレーをするよりも、まずは安全なコースを狙ったり、力の加減などをしっかりと考慮した上でプレーをするほうが、ミスを減らすことができます。

エースばかりを狙いに行かないようにしよう！

エースばかりを狙いに行って、ミスをしていては試合には勝てない。毎回一発で決めることを考えるより、確実にコートにボールをコントロールして自分からのミスは極力減らすことを考えよう。

ミスの少ないショットを選択しよう！

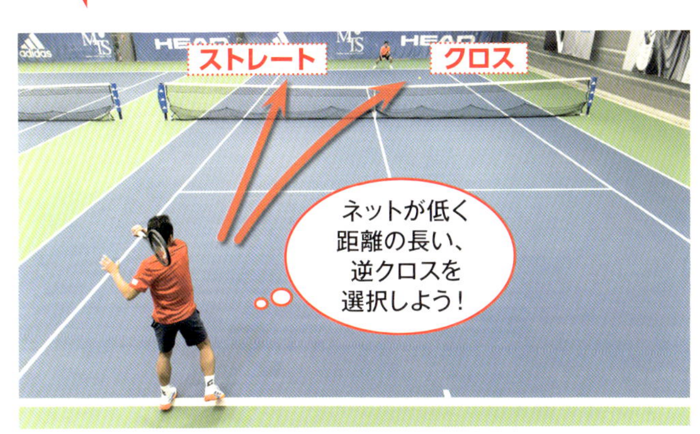

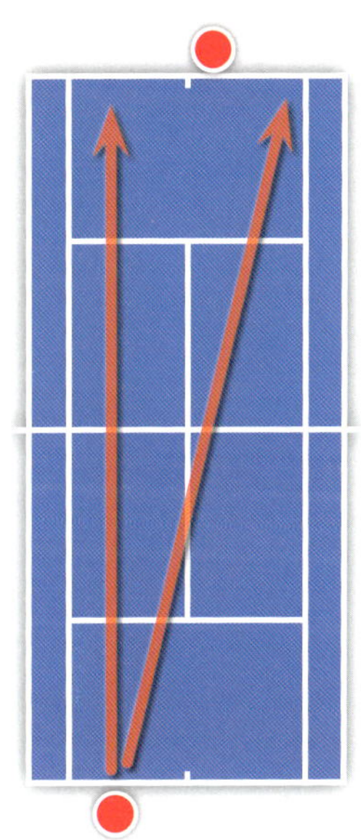

写真の位置からボールを打つとき、ストレートとクロスの2つの選択肢が考えられるが、クロスのほうが距離が長いので、よりリスクが低い。常にどんなリスクがあるか考えながらプレーをすることで、ミスを徹底的に減らそう。

極意③

ただラリーを
続けるのではなく
相手の苦手なところを
狙ったり、
走らせるボールを
打ったりと、
相手のミスを誘うプレーを
心掛けよう

極意②でミスを減らすことが大事だと伝えましたが、反対に試合に勝つには「相手のミスを誘う」プレーを心掛けること、そこに尽きます。

たとえば、相手を走らせるショットや相手の苦手なところを狙うショットが有効です。

他にも回転をかけてボールを弾ませたり、スライスを使って上手くペースを変えたり、速いボールを打ったりゆるいボールを打ったり、深いボールを打ったり浅いボールを打ったりと、様々なショットの選択で相手のミスを誘うことを常に心掛けます。

相手に心地良くプレーさせないためにも、様々な球種を使って相手のミスを誘い、自分に有利な展開を作って行きましょう。

無理せずに相手のミスを誘う！

たとえば、フォアハンドでストレートに高く弾ませたボールを打って相手を走らせる。そして、空いたエリアにクロスで低いボールを打つなど、ボールに変化を与えることによって相手のミスを誘うことができる。

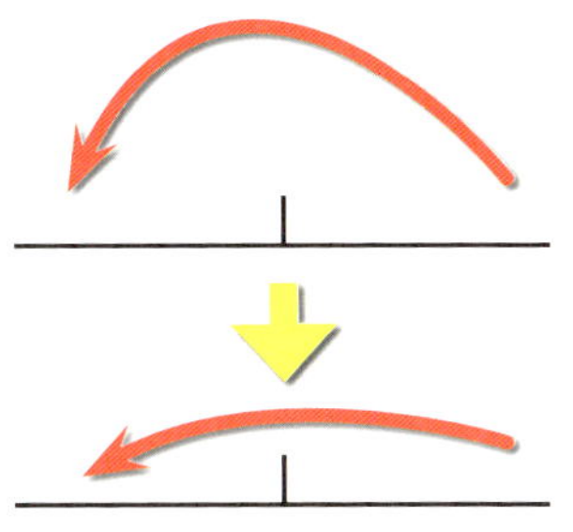

相手のバランスを崩す！

ときには、スライスを使って低いボールを打つことで、相手のバランスを崩してみよう。次に空いたエリアにクロスで力強いボールを打つことで、確実にポイントを取りに行く。

極意④

シングルスは
打てるコースが広い分、
様々なショット選択が
必要なので
毎回状況に対応しながら、
最適な判断を行い、ポイントを
取れるようにしよう

シングルスではコートを広く使える分、様々なコースや球種を打つことができます。それは相手も同様なので、どんなコースや球種のボールが来ても対応しなければいけません。

そのため、シングルスの試合は、ダブルスのようにパターン化することが少ないです。刻一刻と変わりゆく状況に常に対応しながら、その都度、最適な判断をする必要があります。

ただ打ち返すのではなく、このボールは打ちに行ったほうがいいのか、つなげたほうがいいのか、どこに配球したらいいのか。要は常に考えながらプレーする必要があるということです。

常に考えながらプレーをする

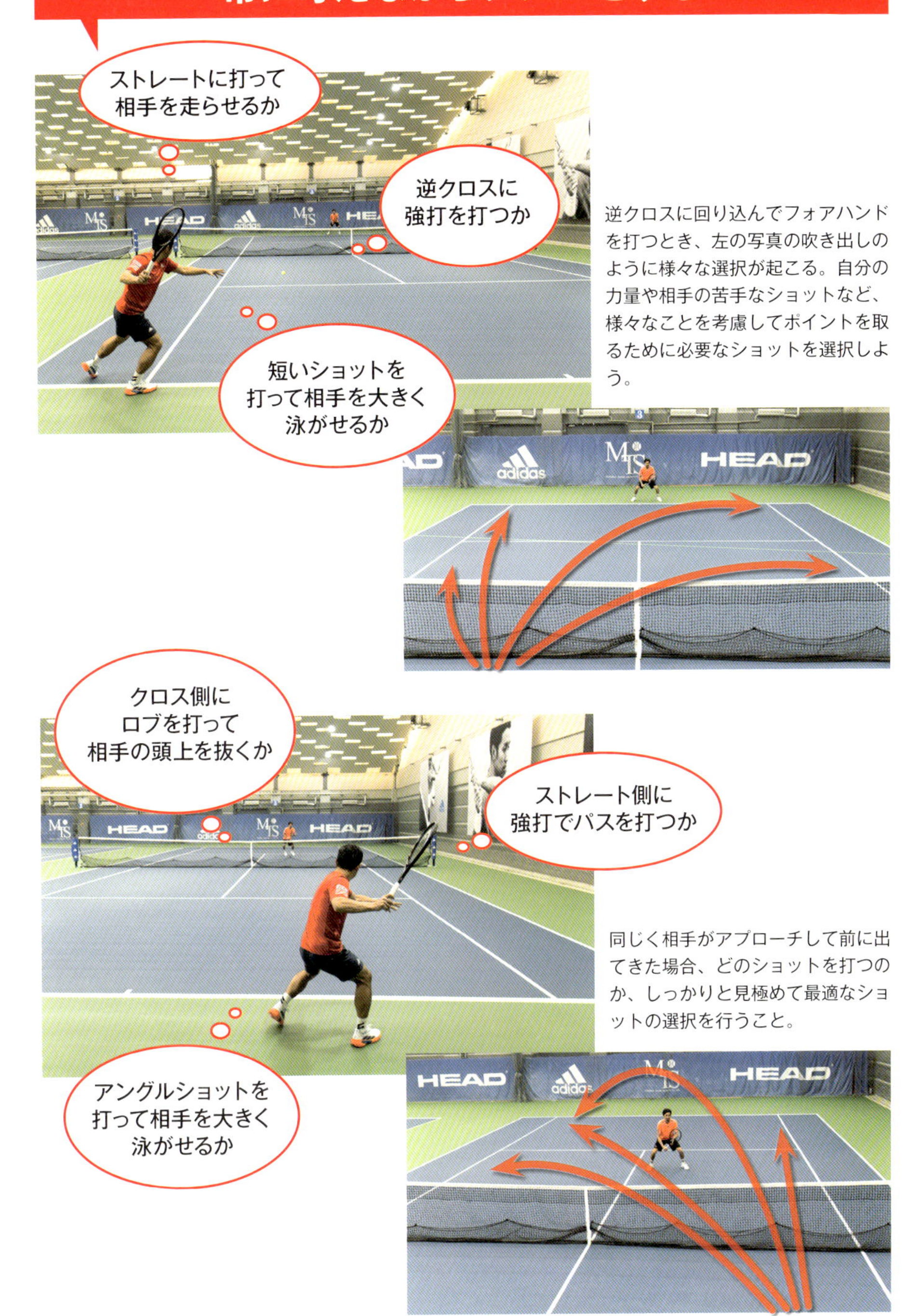

ストレートに打って相手を走らせるか
逆クロスに強打を打つか
短いショットを打って相手を大きく泳がせるか
HEAD
adidas
クロス側にロブを打って相手の頭上を抜くか
ストレート側に強打でパスを打つか
アングルショットを打って相手を大きく泳がせるか

逆クロスに回り込んでフォアハンドを打つとき、左の写真の吹き出しのように様々な選択が起こる。自分の力量や相手の苦手なショットなど、様々なことを考慮してポイントを取るために必要なショットを選択しよう。

同じく相手がアプローチして前に出てきた場合、どのショットを打つのか、しっかりと見極めて最適なショットの選択を行うこと。

極意⑤

自分のプレーだけに意識するのではなく相手の様子を注意深く観察して癖を見抜いたり、コースを予測したりと、精神的な駆け引きをしよう

　自分の調子が良くても、相手に勝てるとは限りません。反対に自分の調子が悪くても相手がもっと悪ければ勝てることもあります。いずれにしても、自分のプレーだけに意識を向けていては、勝てる試合も勝てなくなります。勝つためには、相手に対しての注意深い観察力が必要です。

　たとえば、自分の打つショットを相手が嫌がっているか、長いラリーの連続による疲労が出てきているかなどの情報を得られれば、それを駆け引きに使うことができますし、精神的に余裕も出てきます。他にも、相手のことを見ていないと単に勘で動くことになってしまいますが、試合を進めながら相手の癖を見抜ければ、相手のコースの予測を立てやすくなります。

相手を注意深く観察して作戦を立てよう！

相手の様子を観察して、もし疲れているようなら、「自分のプレーが効いていて、体力的には勝っている」、「相手は疲れているので長いラリーに持ち込もう」など、判断することができる。

相手の得意なコースや癖を見抜こう！

相手のチャンスボールのコースが逆クロスだと見抜いた場合、試合の前半では追うことができなくても、大事な場面でその逆クロスに上手くカウンターを合わせられるかもしれない。そうすれば、相手の動揺を誘い、優位に立つことができる。

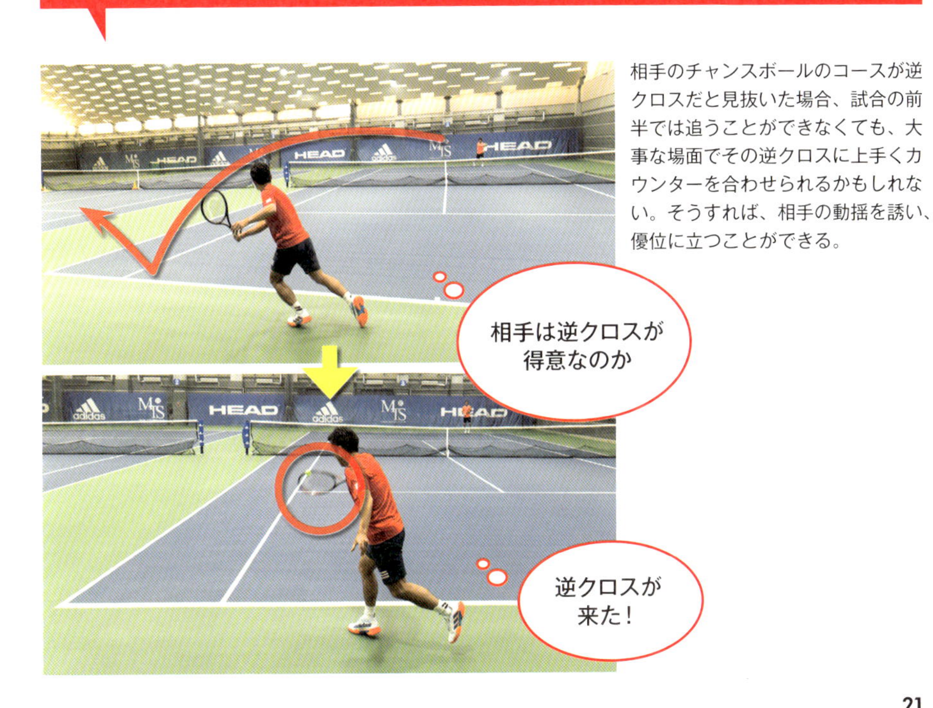

極意⑥

テニスの試合は 全てのポイントを 取りに行く必要はない。 ポイントに余裕があるときは 大胆なプレーで 相手の動揺を誘うことも 重要である

テニスの試合は、極論を言うとポイントの獲得数で負けていたとしても試合に勝つことができます。たとえば、ポイントの獲得数が、相手が130点取っていて、自分が125点しか取っていなくても、試合に勝っているということがあります。肝心なところで、しっかり点を取ることが大事だということです。反対に、ゲームを落としてしまうポイントは、簡単にミスをしないようにプレーをしなければいけません。

また、たとえば「40-0」なら、あと2ポイント失ったとしてもゲームを取れる可能性が残っているので、大胆なプレーをしたり、普段あまり打たないコースをあえて選択したりして、相手に見せておくことで試合を有利に進めることができます。

試合の状況に応じ要所では確実にポイントを取ろう！

極意⑦

ケガの予防だけでなく、1球目から最良のパフォーマンスを発揮できるように念入りなウォーミングアップをしよう

当たり前に思うかもしれませんが、シングルスの試合の前は、念入りにウォーミングアップをしましょう。シングルスは広いコートを守るため、運動量が非常に高くなり、その分ケガをする可能性も高くなるからです。突発的なケガをすると、長期間テニスができなくなる可能性もあります。

また、カラダが温まっていないまま試合に臨むと、パフォーマンスの低下にも繋がってしまいます。

まず、軽いジョギングから始め、ダイナミック系のストレッチを行ったり、関節の可動域を広げたりします。さらに、アジリティー系の動きで反射速度を上げ、最後は全力で動くスプリントなどを行い、1球目から全力で動くことができる準備をして行きましょう。

ウォーミングアップの一例

ウォーミングアップのやり方は人それぞれで構わないですが、ここで挙げている例のように試合でパフォーマンスを発揮できるように試合前に一通りのメニューを行いましょう。

①軽いジョギングやサイドステップなどでカラダを温める。

②反動をつけるダイナミックストレッチで筋肉を温めていく。

③肩甲骨、股関節など関節の可動域を広げる運動を行う。

④ステップや反応動作を速めるためのアジリティ系のウォーミングアップを行う。

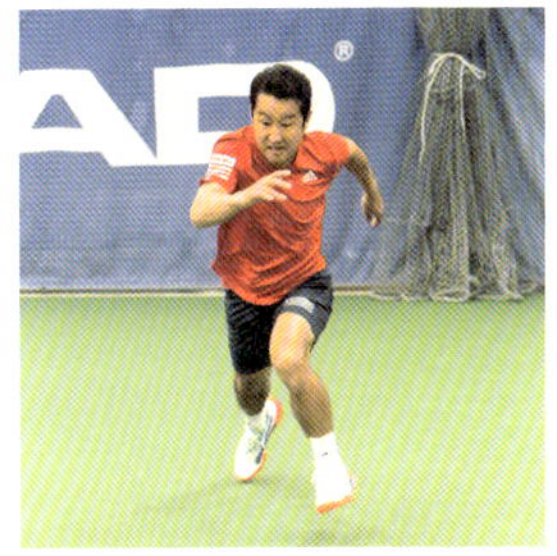

⑤ラインタッチやショートスプリントなど全力でカラダを動かすウォーミングアップを行う。

本書の基本的な考え方

コートを3つのエリアに分けて各エリアで必要な戦術やテクニックを身につけよう

シングルスはカバーするコートが広いです。どこから何を打つか迷っていては、なかなかポイントにつながりません。そこで、本書ではコートを大きく「ディフェンスエリア」「アタックエリア」「フィニッシュエリア」に分けて解説することで、それぞれのエリアで直面する様々な状況に応じた、適切なショットの打ち方を解説しています。

ディフェンスエリア

ベースライン手前のエリアをディフェンスエリアといいます。相手に攻められてもコートカバーができるポジショニングから返球すること、そしてアタックエリアへつなげていける返球をすることが求められるエリアです。

アタックエリア

ベースラインを入ってからコート中央あたりのエリアをアタックエリアと言います。ポイントを取れるエリアになるので、確実に相手からポイントを奪うショットやポジショニングを意識しましょう。そして、フィニッシュエリアへ入っていけるようなショットの選択が求められます。

フィニッシュエリア

コート中央からネット近くまでのエリアをフィニッシュエリアと言います。確実にポイントを決めきるエリアです。前へ詰めるスピードや、角度をつけるショットで、決めるときは相手にボールを触らせないようなショットの選択が必要です。ここを確実に決めることでポイントを取れるかどうかが決まります。

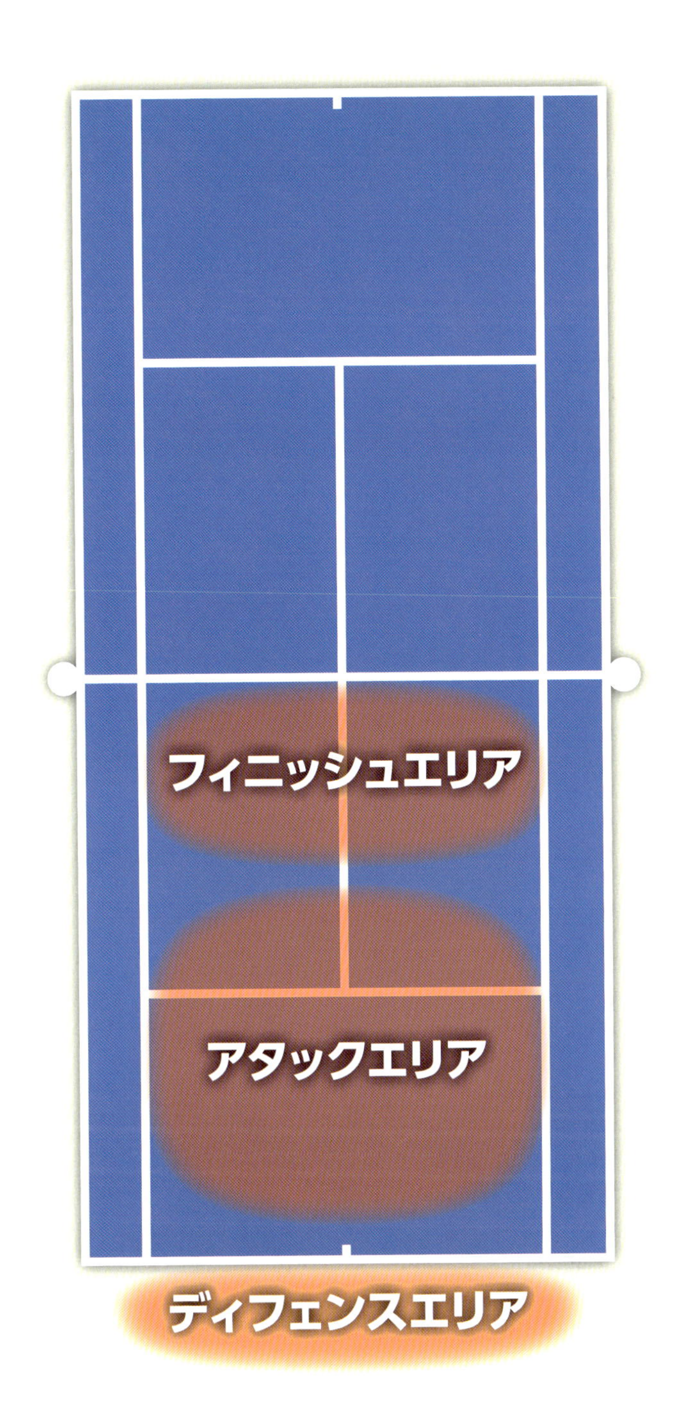
フィニッシュエリア
アタックエリア
ディフェンスエリア

Part 1
ディフェンスエリアのテクニック

ベースラインより後方のディフェンスエリアで、
相手の攻撃をディフェンスするポジショニングや
アタックエリアへ入るためのショットの打ち方を解説します。

ディフェンスエリア

コツ
01
Part 1
ディフェンスエリアのテクニック

コートの深い位置を狙って ボールをコントロールする

POINT 1 ボールが浅いと相手にアタックエリアへ入られる

打球が浅いと相手選手はアタックエリアへ入り、簡単に攻め込まれてしまう。

相手を前に来させないようにコントロール

シングルスでは、つねに主導権を握ってプレーできていることが重要になります。そのためには、相手がアタックエリアに入るのを阻止して、自分がアタックエリアに入ることを考えなければいけません。

ボールコントロールが浅いとアタックエリアに入られてしまい、ゲームの主導権を握ることができません。ディフェンスエリアからボールを深くコントロールすることを心掛け、自分がアタックエリアに入っていけるようにつねにボールを深い位置へコントロールしましょう。

チェックポイント

1. ボールが浅いと相手にアタックエリアへ入られる
2. 相手コートの深いエリアにボールをコントロールしよう
3. ネットの高い位置を通すように意識しよう

+1 レベルアップ

練習から深いボールを意識すること

試合になると緊張感から練習のときよりもボールが浅くなりやすいものです。そのため、普段の練習からつねに深く狙えるように意識することが必要です。試合のときも、多少リスクを取ってでも深くボールをコントロールできれば有利に進められます。

POINT 2 相手コートの深いエリアにボールをコントロールしよう

OK
HEAD
adidas
深い球を打つことで、相手
選手はディフェンスエリア
で対応せざるを得なくなる。

POINT 3 ネットの高い位置を通すように意識しよう

深いボールを狙うにはネットから高い位置にボールを通す必要があります。軌道が低いと浅くなってしまいます。深いボールを打つには少し高い軌道で打つことを意識しましょう。

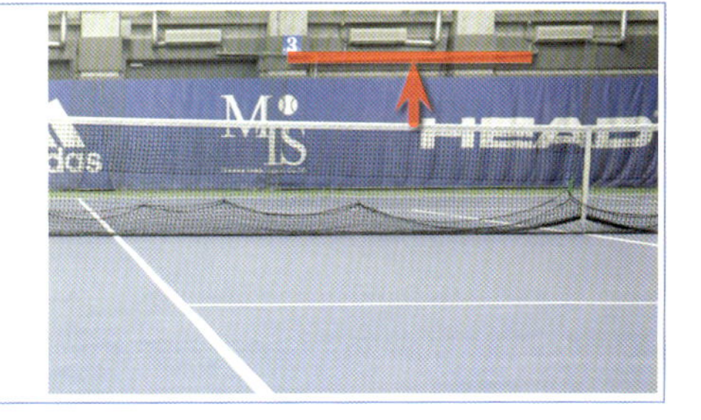

コツ 02 Part 1 ディフェンスエリアのテクニック

オープンエリアを狙って相手のミスを誘う

オープンコートに打ち有利な状況を作る

テニスでミスが起こりやすくなる大きな要因は、動いてボールを処理したときです。そのため、相手が止まった状態でボールを処理させないようにすることが大切です。つねにオープンエリアを狙い、相手のバランスを崩すことが重要です。

POINT 1 オープンエリアを狙ってボールをコントロールする

つねに空いている位置にボールをコントロールしよう。

チェックポイント

①オープンエリアを狙ってボールをコントロールする
②動きながらボールを打たせることでミスを誘う
③ラリーを続けていても勝つことはできない

+1 レベルアップ

ただ打ち返すのはNG

自分がミスしないことに意識がいってしまい、ただ打ち返しているだけになっていませんか？　相手を動かすことができていないと、相手にボールをコントロールされて、オープンエリアに打たれてしまいます。つねに相手を動かして、相手に心地よくラリーをさせないように。

POINT 2 動きながらボールを打たせることでミスを誘う

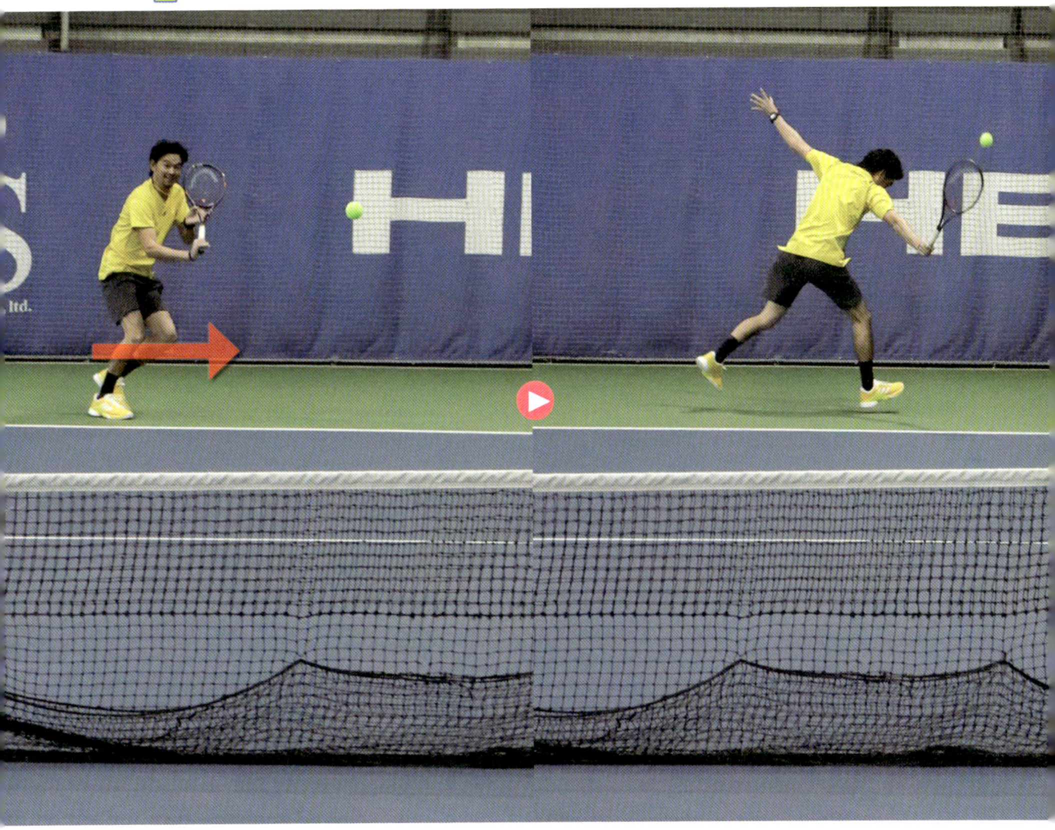

オープンエリアへ打ち、相手を走らす。

動きながら打たせることで、相手のミスを誘う。

コツ 03 Part 1
ディフェンスエリアのテクニック

アタックエリアへ入るための ショットを選択しよう

相手の深い返球を阻止しアタックエリアへ

アタックエリアへ入るためには、相手がボールのコントロールを容易にできなくなるような、スピードのあるショットや、ボールに回転を与えたショットを選択しましょう。そうすることで、相手の深い返球を阻止して、自分がアタックエリアへ入っていけます。

POINT 1 スピードのあるショットを打つ

ボールの落下地点にすばやく移動する。

相手が反応する前にスピードのあるボールを打ち込む。

チェックポイント

❶スピードのあるショットを打つ
❷回転量のあるボールで相手を動かす
❸威力のあるボールで浅いボールを返球させる

+1 レベルアップ

有利な状況を作ろう

深いボールや、オープンエリアを狙って相手のミスを誘うだけでなく、ショットの威力でも相手のミスを十分に誘えます。ショットの力強さで相手を押し込み、浅いボールを返球させて、攻撃へつなげていきましょう。

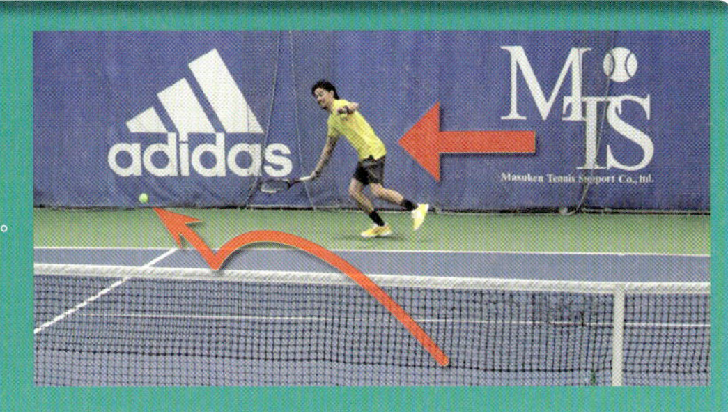

POINT 2 回転量のあるボールで相手を動かす

相手の位置を確認して打つコースを決める。

高く弾む回転量のあるボールを打つ。

コツ
04
Part 1
ディフェンスエリアのテクニック

適切なポジショニングで相手の攻撃を防ぐ

POINT 1 オープンエリアを作らない位置に立つ

オープンエリアが少なくなる位置にポジショニング。

オープンエリアを作らないポジショニング

シングルスで勝つための極意①（P11）でもポジショニングについて解説しましたが、シングルスでは、１人でコートカバーをしなければならないため、つねに最適な位置にポジショニングする必要があります。

最適な位置とは、相手が打つ位置からどこに打たれても取りに行ける位置です。そこで構えることで、オープンエリアがなくなります。相手の打つ位置によって、こちらの立ち位置を変え、つねに最適な位置でポジションを取れるようにしましょう。相手の攻撃を防ぐことができます。

チェックポイント

❶オープンエリアを作らない位置に立つ
❷相手の角度に合わせてポジショニングする
❸コート中央に立つだけではNG

対戦相手によって立ち位置を変える

最適なポジショニングでも、一面のコートをカバーしきるのは難しいです。相手を良く観察してラケットが出てくる角度や得意なコースを分析して、相手に合わせて立ち位置を変えることもコートカバーの重要なスキルです。

POINT 2 相手の角度に合わせてポジショニングする

相手の角度に合わせた位置にポジショニング。

POINT 3 コート中央に立つだけではNG

必ずしもコートの真ん中に立てば左右どちらにも均等に対応できるというわけではありません。最適な位置ではなく、相手の打ってくる位置によって最適なポジショニングをすることが重要です。

攻撃に転じるための ポジショニング

速い打点でボールを打ち返す

後ろの打点でばかり打っていたら、相手に時間を与えてしまい、攻撃にはつながりません。相手に早いタイミングでボールを返すことにより、相手がショットを打つための準備をする時間を奪って、アタックエリアへ入っていきましょう。

POINT 1 ボールを早い打点でとらえ攻撃へ転じる

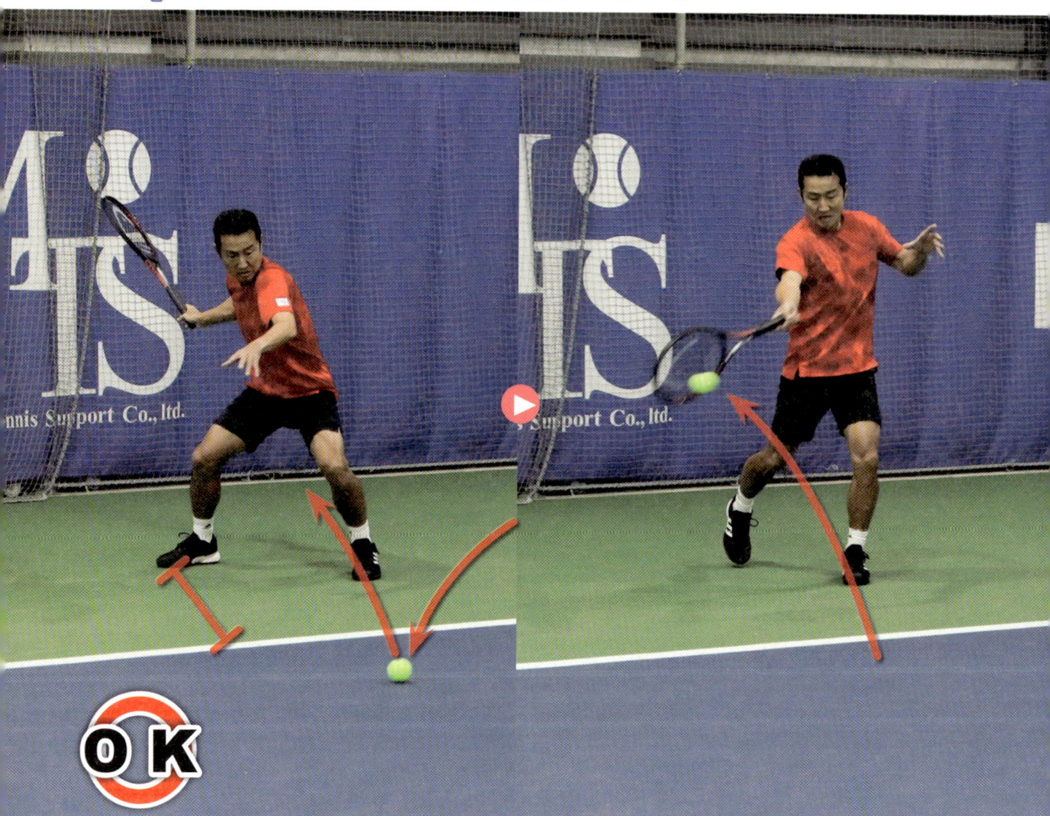

ボールの着地点をすばやく見極める。

早い打点でボールをとらえて攻撃へ転じる。

チェックポイント

❶ボールを早い打点でとらえ攻撃へ転じる
❷後ろの打点ばかりで取ると攻撃に転じることができない
❸スピードのあるボールでアタックエリアへ入る

+1 レベルアップ

すばやくアタックエリアへ

打点の取り方を変えて、相手へ返球するスピードを速くすることで相手の返球が少しでも甘くなったら、すかさずアタックエリアに入って攻撃に転じましょう。ミスを恐れて後方でラリーをしているだけではチャンスは生まれません。

POINT 2 後ろの打点ばかりで取ると攻撃に転じることができない

ミスを恐れ、下がってボールを待ち構えている。

返球が遅くなるため、相手に時間を与えてしまいプレッシャーを掛けられない。

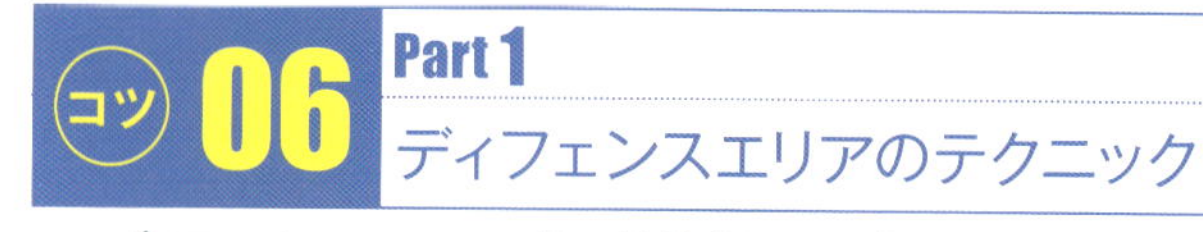

バランスを崩したときに立て直す時間を稼ぐ

速度を落としたショットを選択しよう

相手がアタックしてきて、走らされてしまったときに、完全にバランスを崩してピンチに陥ることがあります。戻る時間がないときは、あえてロブやスライスなど速度を落としたショットを打つことで戻る時間を稼ぎましょう。

POINT 1 スライスやロブなど速度を落としたショットを打つ

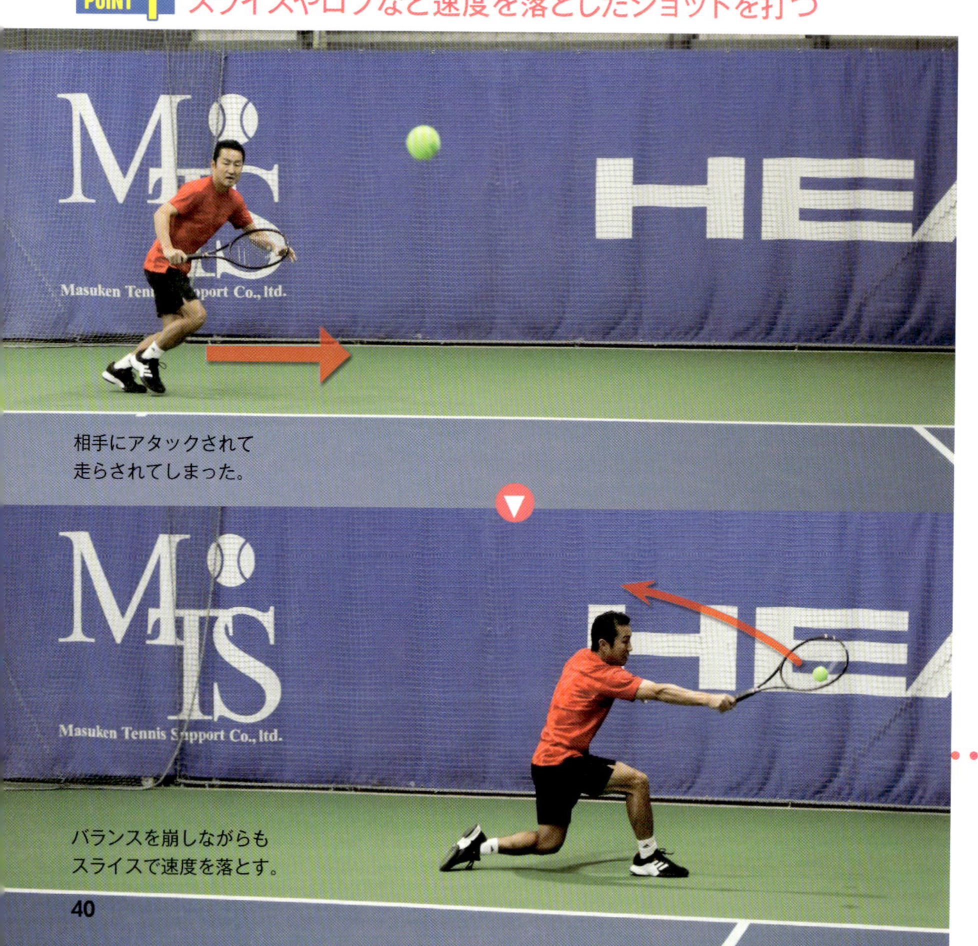

相手にアタックされて走らされてしまった。

バランスを崩しながらもスライスで速度を落とす。

チェックポイント

❶スライスやロブなど速度を落としたショットを打つ
❷時間を稼いで体勢を立て直す
❸次に相手に打ち込まれないようにすることも重要

レベルアップ

ロブなど状況に応じて選択

スライスで返球できないほど大きくバランスを崩してしまったら、さらに時間を稼ぐためにロブの選択も有効です。他にも相手が前にアタックしてきたときなど、大きく時間を稼ぎたいときにロブの選択も考えましょう。

POINT 2 時間を稼いで体勢を立て直す

戻る時間を稼ぎリカバーする。

オープンエリアに打たれないポジションにつく。

POINT 3 次に相手に打ち込まれないようにすることも重要

軌道が低くボールのバウンドが低いスライスを返球することで、次に相手にボールを打たれないようにすることも重要です。

Part 2
アタックエリアのテクニック

ベースラインからサービスライン周辺までのアタックエリアで、
フィニッシュエリアへ近づくためのテクニックやポジショニングを解説します。

アタックエリア

コツ 07 Part 2 アタックエリアのテクニック

スピードのあるショットを確実に決める

前へ行く意識で威力のあるボールを決めよう

せっかくアタックエリアにいるのに、ディフェンスエリアと同じスピードで打っていてはチャンスを活かすことができません。前へ行く意識を持ち、アタックエリアでスピードのあるショットを打つことで、より得点を決める確率が上がります。しっかりスイングスピードを確保して、ディフェンスエリアより積極的にアタックしましょう。

POINT 1 スピードのあるボールを打ち返す

相手の甘くなったショットを見逃さず、打ちに行ける準備をしよう。

スイングスピードを確保して、威力のあるボールを打ち込む。

チェックポイント

❶スピードのあるボールを打ち返す
❷その場に留まらず打ったら前へ行く意識を持つ
❸低い位置でボールを打たない

POINT 2 その場に留まらず打ったら前へ行く意識を持つ

アタックエリアで威力のあるボールを打つことができても、その場に留まっていたらポイントを終わらせることができません。アタックエリアへ入ってボールを打ち込むことができたら、すばやくネットを取り、ポイントをフィニッシュさせることを心掛けましょう。

POINT 3 低い位置でボールを打たない

アタックエリアに入ったら、なるべく高い位置で相手のボールをとらえて、アタックして行きましょう。ボールを低く落としてしまうとボールが浮きやすくなり、攻撃的なボールになりません。ネットに行っても、パスを打たれる確率が高くなってしまいます。

+1 レベルアップ

躊躇せずしっかり踏み込む

ディフェンスエリアとアタックエリアでボールの大きな処理の違いは、次にネットを取るためのショットでもあるので、しっかりと踏み込んで自分の体重をボールにぶつけていくことです。威力のあるボールで積極的にネットを取れるショットを打ちましょう。躊躇せずしっかりと踏み込むことが大切です。

アタックエリアでのボールコントロール

POINT 1 オープンエリアを狙って打つ

オープンエリアを狙って打つことで、相手を走らせることができる。

確実に相手のバランスを崩すことが重要

威力のあるショットが打てたとしても、相手がいるところに打ち返したら、カウンターを取られる可能性があります。確実にオープンエリアを狙い、相手のバランスを崩すことが大事です。

ときには、コートカバーをする相手の逆を突いて、相手のバランスを崩すことも重要です。

ドロップショットなど、フィニッシュエリアに入ってパスを打たれないように確実に相手のバランスを崩せるショットを打っていきましょう。

チェックポイント

❶オープンエリアを狙って打つ
❷戻ろうとする相手の逆を突く
❸ドロップショットで相手の逆を突く

+1 レベルアップ

相手を確認しながら打つ

相手がどこをカバーしようとしているかを確認しながらショットを打てるようになることも必要です。相手は予測を立ててディフェンスしてくる可能性があるので、ギリギリまで相手のポジショニングを確認して打ちましょう。

POINT 2 戻ろうとする相手の逆を突く

相手がカバーしようとしている反対を狙い、逆を突くことも有効。

POINT 3 ドロップショットで相手の逆を突く

相手がディフェンスエリアでカバーしようとしたら、ドロップショットを選択して、相手の逆を突くことが可能です。相手がポジションを下げてディフェンスしているときに有効なショットになります。

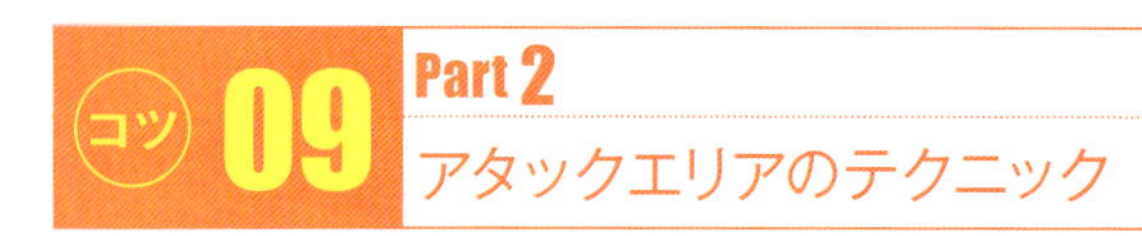

フィニッシュエリアへ近づく①
動きながら打つアプローチショット

いかに速くフィニッシュエリアへ行けるかが大切

少しでも早くアタックエリアからフィニッシュエリアへ入るため、止まって処理するのではなく動きながら少しでも早く前へ行きましょう。それによって相手にプレッシャーを与えられます。より前に早く詰めることでパスのエリアを狭め、前へ落とすボールも防ぐことができ、カウンターが取られにくくなります。

POINT 1 アプローチショットで動きながらボールを打つ

ボールの落下地点を見極める。

動きながらボールをとらえて打つ。

チェックポイント

1. アプローチショットで動きながらボールを打つ
2. アタックエリアを駆け抜け、一気に前へ行く
3. できるだけフィニッシュエリアへ近づく

+1 レベルアップ

打った後、立ちどまらない

アプローチショットの途中で一度止まってからボールを処理してしまうと、ネットに行くタイミングが遅れてしまいます。ネットへの詰めが遅いとボールを足元に落とされてしまったり、パッシングを打たれる可能性が高くなってしまいます。

POINT 2 アタックエリアを駆け抜け、一気に前へ行く

そのままアタックエリアを駆け抜ける。

できるだけ早くフィニッシュエリアへ近づくように。

コツ 10 Part 2 アタックエリアのテクニック

フィニッシュエリアへ近づく②パッシングされないスライスショット

低く鋭いボールで反撃を防ごう

フィニッシュエリアへ行こうと、前へ進んでいるとき、それに対して、横を抜かれるパッシングを打たれる可能性もあります。しかし、バウンドの低いボールになるスライスショットを打つと、相手からパッシングを打たれにくくなります。

POINT 1 ボールが浮かないように鋭くスライスショットを打つ

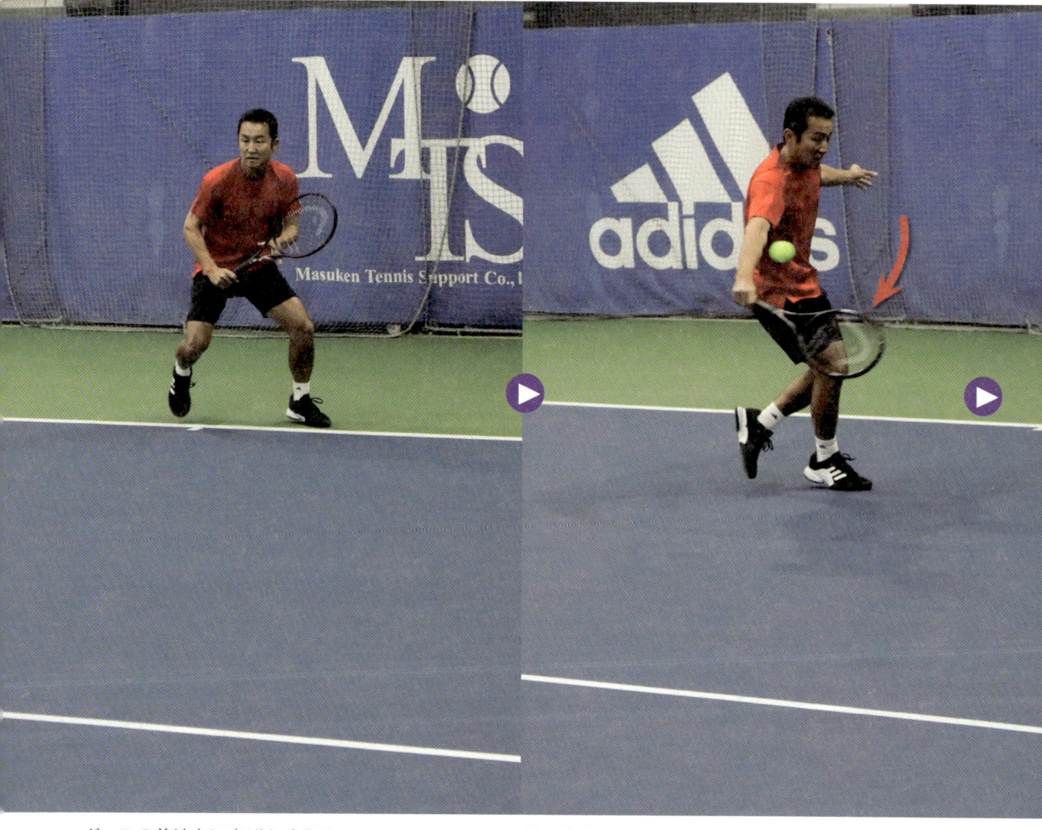

ボールの着地点にすばやく入る。

低い球足のスライスショットを打つ。

チェックポイント

❶ボールが浮かないように鋭くスライスショットを打つ
❷低い球足で相手からのパッシングを防ぐ
❸フィニッシュヘリアへ進んで行こう

+1 レベルアップ

アプローチでスライスを打つメリット

スライスのもう一つの効果として、ゆっくりボールをコントロールすることで、前へ行く時間を掛けられます。そのメリットを生かし、少しでも早くネットの前へ入って、プレッシャーを掛け、相手のパスを防ぎましょう。

POINT 2 低い球足で相手からのパッシングを防ぐ

そのままネット前へとすばやくダッシュ。

できるだけフィニッシュエリアへ近づこう。

コツ 11 Part 2 アタックエリアのテクニック

フィニッシュエリアへ近づく③ 相手が戻る時間を与えないショット

相手の時間を奪うライジングショットを選択

すばやくネットを取るために、相手の時間を大幅に奪うライジングショットを選択しましょう。

早い打点でボールを取り、タイミングを早くすることで、相手が構える時間を奪うことができます。

POINT 1 アプローチショットを打ち前へ

ボールの落下地点にすばやくステップインしていく。

早い打点でボールをとらえる。

チェックポイント

❶アプローチショットを打ち前へ
❷相手が戻る前にフィニッシュエリアへ入る
❸ネット前でボレーで決める

+1 レベルアップ

「タタン」のリズムで打つ

ライジングショットは、明らかに通常のショットよりもタイミングを早くする必要があります。通常が「タン・タン」というリズムだとすると、ライジングショットは「タタン」のリズムです。音で覚えて、ライジングショットを打てるようにしましょう。

POINT 2 相手が戻る前にフィニッシュエリアへ入る

ボールの入りが遅いため、すでにボールがバウンドの頂点を迎えている。

ボールをとらえる位置が低すぎる。

コツ 12 Part 2 アタックエリアのテクニック

フィニッシュエリアへ近づく④ ローボレーとストロークボレー

ボレーでフィニッシュエリアへ入る

フィニッシュエリアに入りきれず相手が低い位置にボールをコントロールしてきたときにうまくローボレーを使いフィニッシュエリアへ入って行きましょう。

深いエリアからのボレーなので、長いステップインを心掛け、ボールを深くコントロールしてフィニッシュでのボレーに近づけてみましょう。

POINT 1 ボールを落とさずローボレーで前へ入っていく

重心を低く取れるように入って行く。

大きなステップで深くコントロールする。

チェックポイント

1. ボールを落とさずローボレーで前へ入っていく
2. 深くコントロールしてフィニッシュエリアのボレーを有利にする
3. 浮いたボールはストロークボレーで打つ

+1 レベルアップ

浮いたボールはストロークボレー

相手のボールが浮いてきた場合、ストロークボレーも有効です。ボールをバウンドさせてしまうと相手に戻る時間を与えてしまい、ポイントを決めきることができません。ストロークボレーで力強いショットを打ち、フィニッシュエリアへ入りましょう。

POINT 2 深くコントロールしてフィニッシュエリアのボレーを有利にする

そのままネット前へ移動する。

フィニッシュエリアへすばやく入る。

コツ 13 Part 2
アタックエリアのテクニック

アタック後のポジショニング① カウンターを喰らわない位置取り

アタックしただけでは終わりではない

アタックエリアのショットは、アタックしただけで終わりではありません。次のフィニッシュエリアに入ったときに、パッシングを喰らわないようにしなければいけません。カウンターされないような立ち位置にいかに入れるかが必要になってきます。

POINT 1 パッシングされない位置取りをする

ストレートを確実に止める立ち位置に立ち、角度のあるクロスに飛びつける準備をしておく。

最短距離を走るストレートをカバーしておかないと、簡単に抜かれてしまう。

チェックポイント

❶パッシングされない位置取りをする
❷ストレート方向にオープンエリアを作らない
❸左右だけでなく前後のカバーも意識する

ロブにも対応するポジショニング

下記の解説では左右のカバーリングしか解説していませんが、実際は相手にはロブという選択肢もあり、前後のカバーも意識する必要があります。自分が打ったアプローチの質によって、相手がどの程度のロブを挙げてくるか予測して、その上でポジショニングも必要になります。

POINT 2 ストレート方向にオープンエリアを作らない

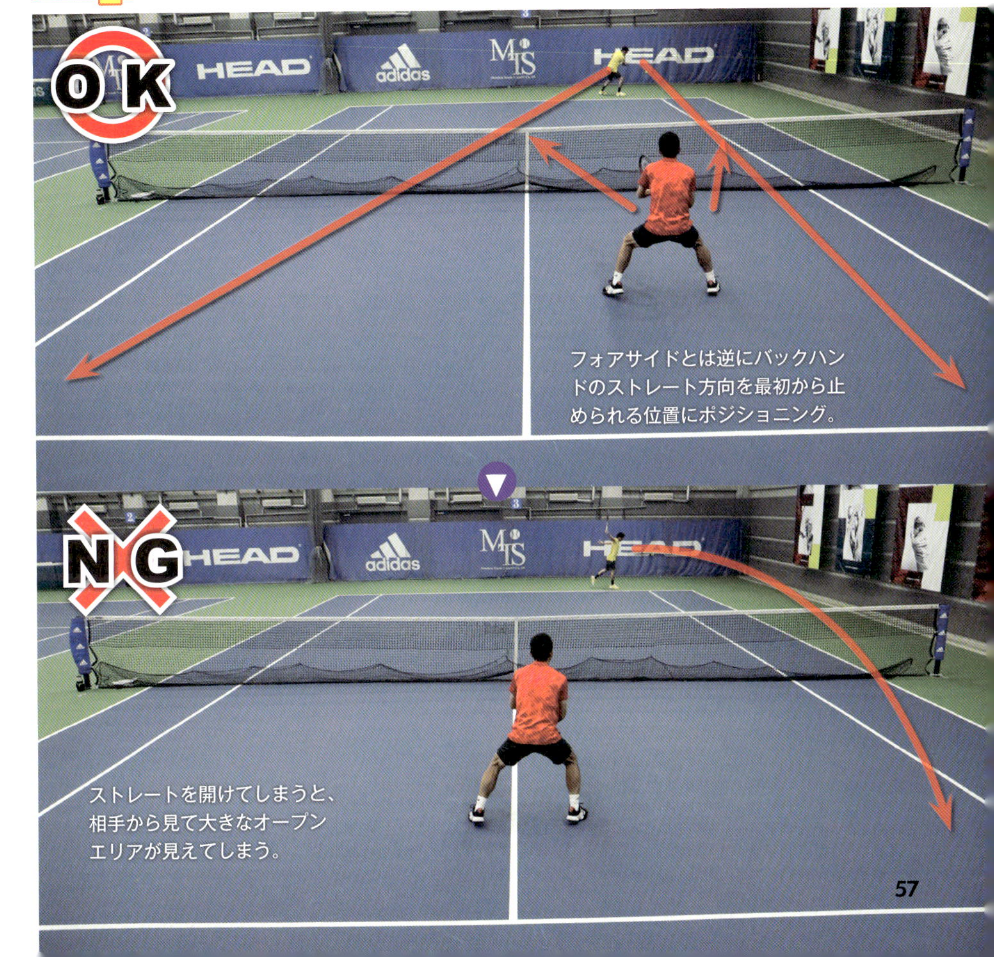

フォアサイドとは逆にバックハンドのストレート方向を最初から止められる位置にポジショニング。

ストレートを開けてしまうと、相手から見て大きなオープンエリアが見えてしまう。

コツ 14 Part 2 アタックエリアのテクニック

アタック後のポジショニング② フォロー・ザ・ボールを意識しよう

フォロー・ザ・ボールでポジショニングが基本

アタック後にポジショニングを行うときはフォロー・ザ・ボールが基本になります。フォロー・ザ・ボールとはボールを打った方向に移動していきポジショニングをすることです。これにより、オープンエリアを作らないポジショニングが可能です。

POINT 1 ストレートに打ったあとストレート方向に進む

フォアハンドでストレートへ打った。

そのままストレートの方向へ数歩進む。

チェックポイント

❶ストレートに打ったあとストレート方向に進む
❷クロスに打ったあとクロス方向に進む
❸オープンコートができるのを防ぐ

レベルアップ

打ったら相手のボールに備える

コートカバーリングで最も重要なのは相手のショットが最短距離で走る、ストレート方向へのパスを抜かせないことです。ボールを打った後は相手の返球に備え、フォロー・ザ・ボールの動きをしていれば、ストレート方向のパッシングを阻止できます。

POINT 2 クロスに打ったあとクロス方向に進む

フォアハンドでクロスへ打った。

そのままクロス方向へ数歩進む。

Part 3
フィニッシュエリアのテクニック

サービスエリア周辺からネット際までのフィニッシュエリアで、確実に仕留めるためのボレーやスマッシュの解説をします。

相手を確認しながらショットを打つ

状況を見極めて最後のショットを打とう

最後に仕留めるとき、打つことに精一杯になってしまい、相手がどこをディフェンスするか見ていないと、相手がカバーして反対に次のボールでやられることがあります。どこに動こうとしているか、またはその場から動かないかなど状況を見極めて打ちましょう。

POINT 1 オープンエリアがあればしっかりと狙う

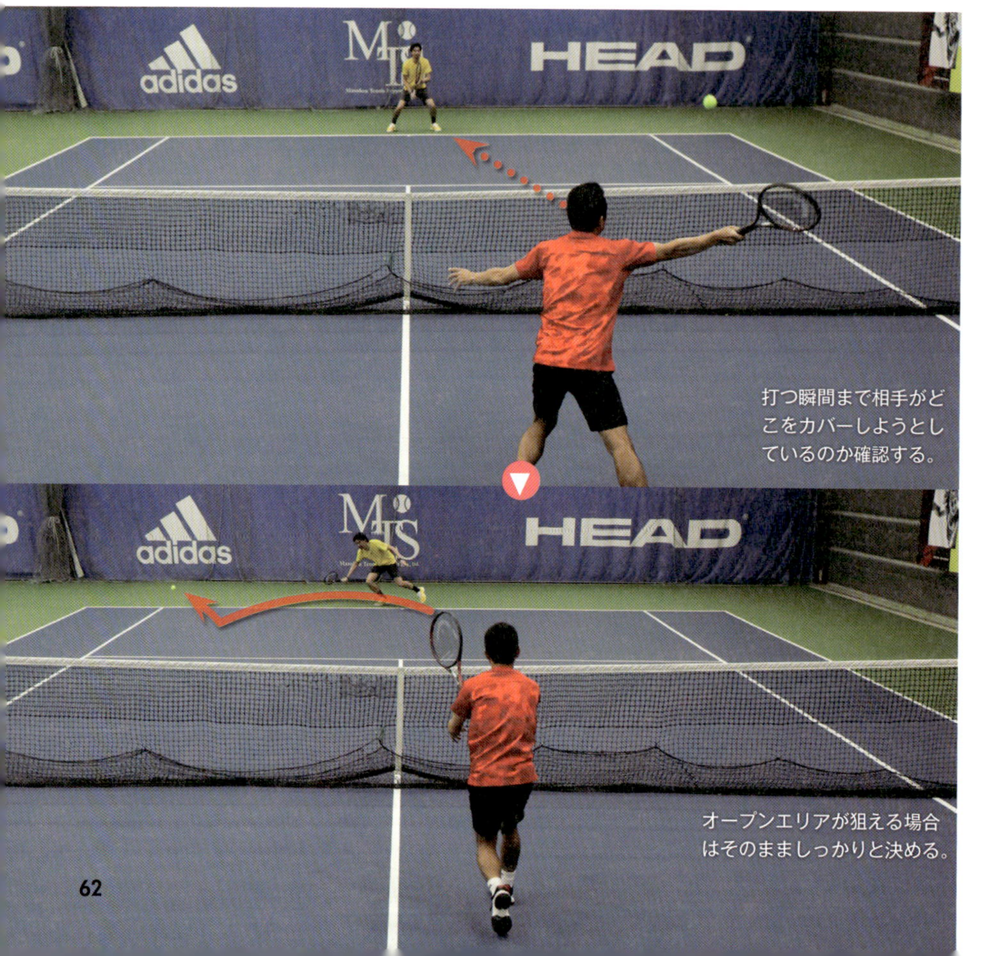

打つ瞬間まで相手がどこをカバーしようとしているのか確認する。

オープンエリアが狙える場合はそのまましっかりと決める。

チェックポイント

1. オープンエリアがあればしっかりと狙う
2. 動き出す方向がわかれば逆を突こう
3. ギリギリまでボールではなく相手を見る

+1 レベルアップ

相手の動きを見ながらボレー

しっかりボールを見てショットを打つのが基本ですが、確実に決める最後のボレーでは、相手のコートカバーの逆を突いて、オープンエリアを狙わないといけません。そのため、ボールではなく相手をギリギリまで見ながらボレーを打つテクニックを身に着けましょう。

POINT 2 動き出す方向がわかれば逆を突こう

打つ瞬間に相手の動き出しが確認できた。

あえて相手の逆を付く位置に打つ。

コツ 16 Part 3 フィニッシュエリアのテクニック

確実に仕留めるためのボレー①
ハイボレーとストロークボレー

浮いてきたボールをボレーで確実に叩く

ネット際で相手のボールが浮いてきた場合、確実に仕留めるために威力のあるボレーを叩き込みたいです。高い位置でボールを処理するハイボレーやさらに威力のあるストロークボレーを使って確実にポイントを取っていきましょう。

POINT 1 浮いたボールに対してハイボレーでしっかりと叩きつける

浮いたボールに対し肩と同じかそれより高い位置でスイングする。

しっかりと叩きつけて確実に決めよう。

チェックポイント

1. 浮いたボールに対してハイボレーでしっかりと叩きつける
2. ストロークボレーで強力な一撃を打つ
3. 打つときにバランスを崩さない

+1 レベルアップ

バランスを崩さないように注意

打ち込もうとすると、どうしても腕に力が入ってしまい、バランスを大きく崩した状態でショットを打ってしまうことがあります。力強いボールを打ちたいときこそ、腕ではなく、ステップする力を強めて、ボールにパワーを与えるようにしましょう。

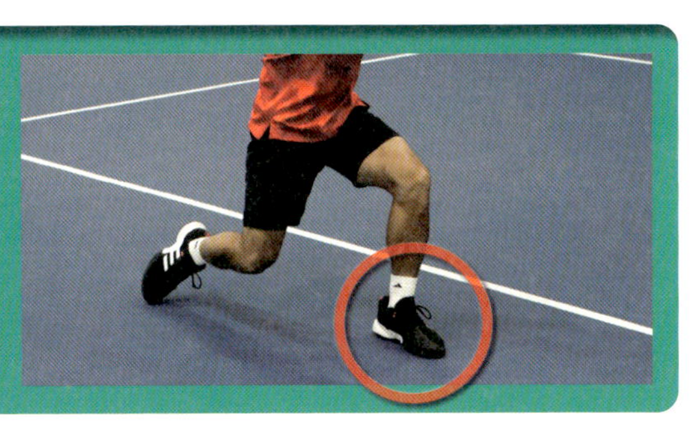

POINT 2 ストロークボレーで強力な一撃を打つ

ストロークボレーを打つときは
高い位置でテイクバック。

コンパクトなスイングで強力な一撃を決めよう。

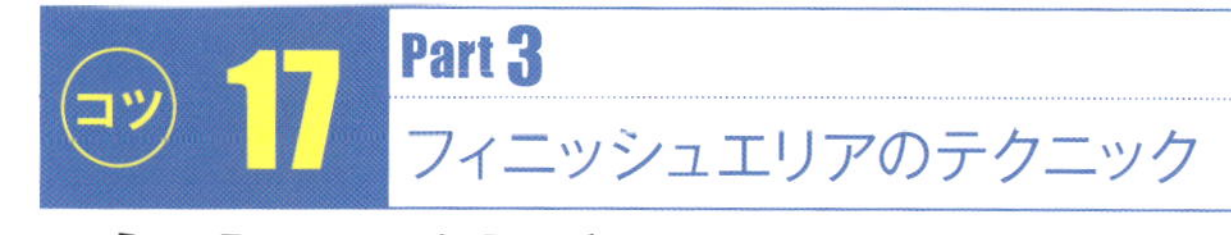

確実に仕留めるためのボレー②
アングルボレー

角度を付けてボールを外へ追い出す

アングルボレーはその名の通り角度を付けて打つことで、相手のいないコースに打ち返すテクニックです。ネット際でボールが浮いて来なくても、うまく角度を付けることでオープンエリアを狙い、ポイントを取ることができるショットです。

POINT 1 角度を付けて相手のいないコートへ打つ

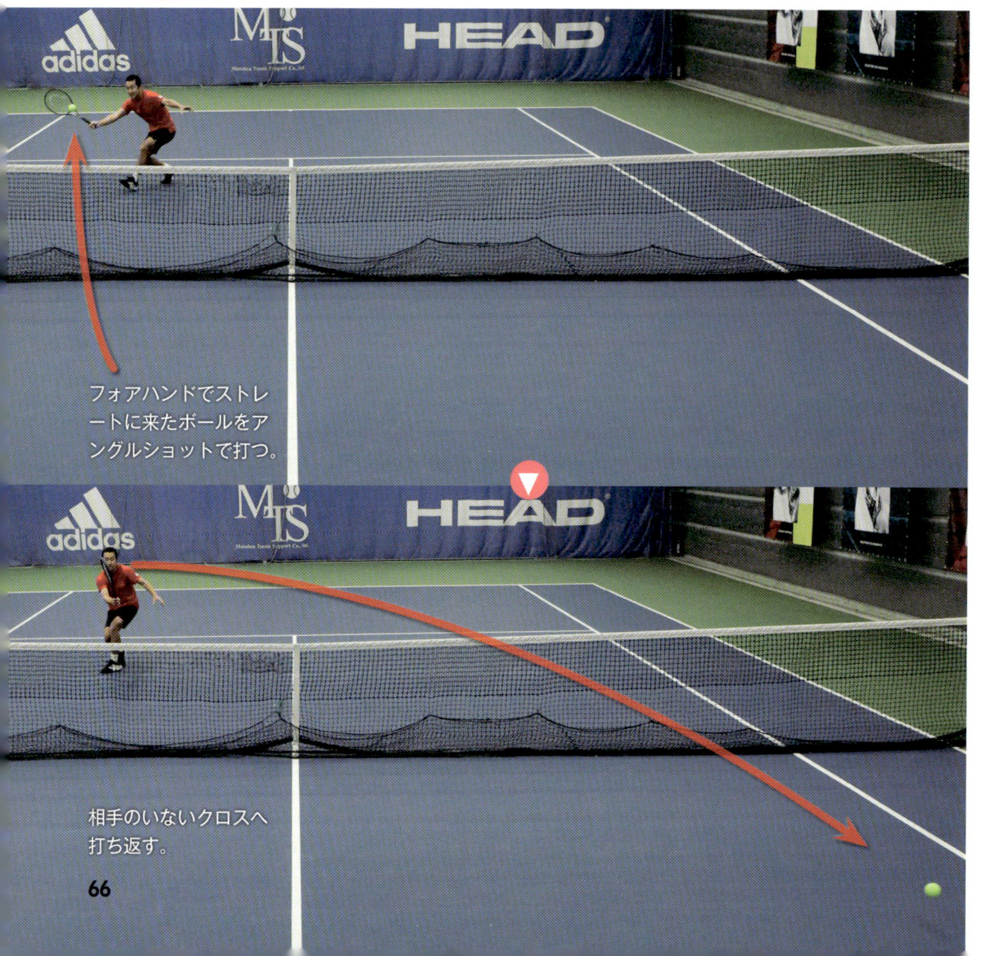

フォアハンドでストレートに来たボールをアングルショットで打つ。

相手のいないクロスへ打ち返す。

チェックポイント

❶角度を付けて相手のいないコートへ打つ
❷打ったあとはフォロー・ザ・ボールをする
❸コートを広く使い、相手を走らせることができる

+1 レベルアップ

浅いボールでより角度を付ける

大きく角度を付ければ、相手を大きく走らせることができるショットなので、浅い位置へコントロールすることで、さらに角度が大きく付き、より相手を大きく走らせることができます。ボールの深さも意識しましょう。

POINT 2 打ったあとはフォロー・ザ・ボールをする

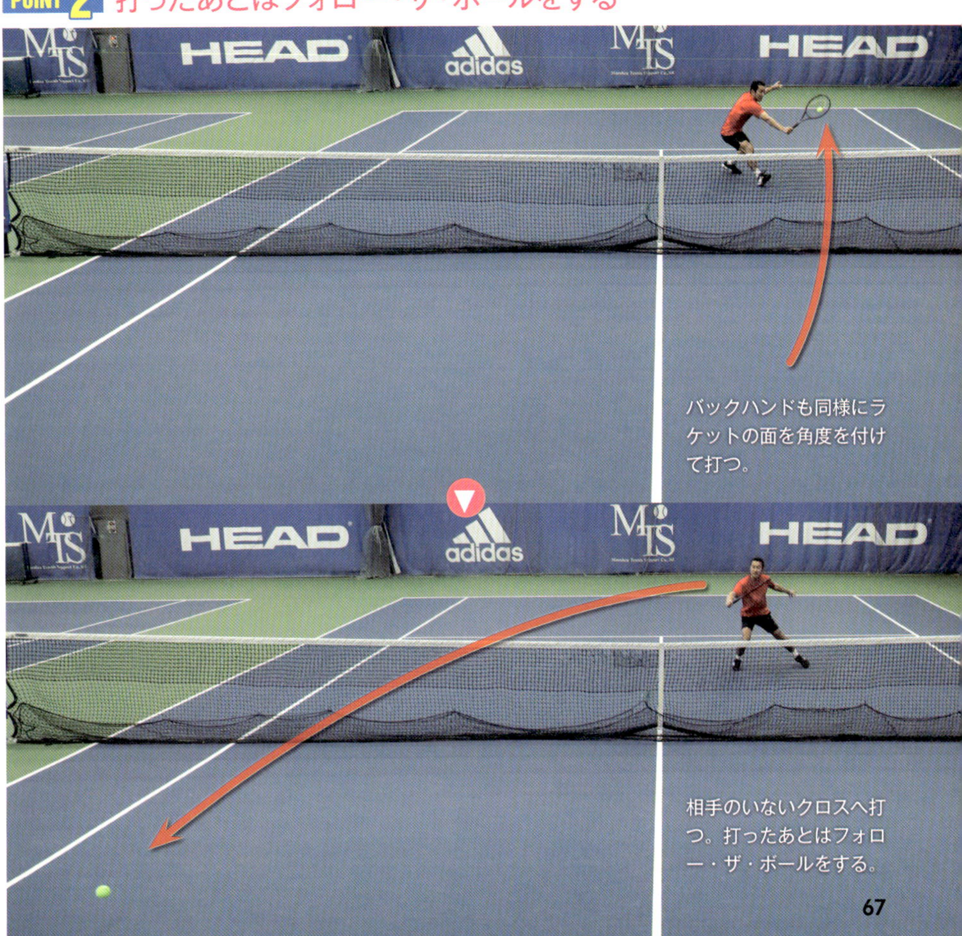

バックハンドも同様にラケットの面を角度を付けて打つ。

相手のいないクロスへ打つ。打ったあとはフォロー・ザ・ボールをする。

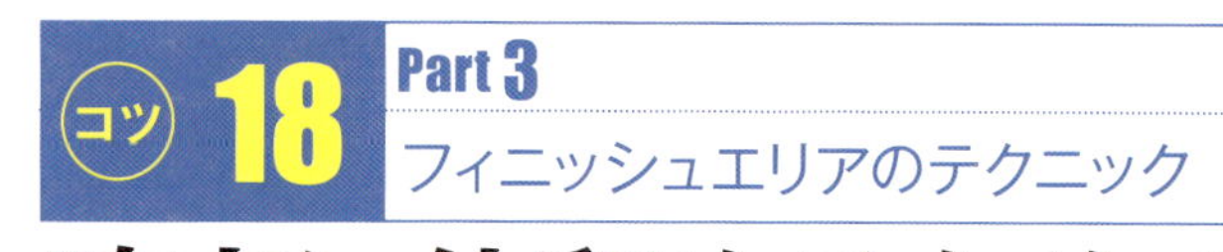

確実に仕留めるためのボレー③ ドロップボレー

強打をしなくてもエースが取れる

フィニッシュエリアに入ると、ネット越しに相手コートの手前まで見えるようになります。オープンエリアの手前にボールをコントロールして、相手を翻弄しましょう。ボールの勢いをうまくころして柔らかいタッチで処理しましょう。

POINT 1 スライス回転をかけてやわらかいボールを打つ

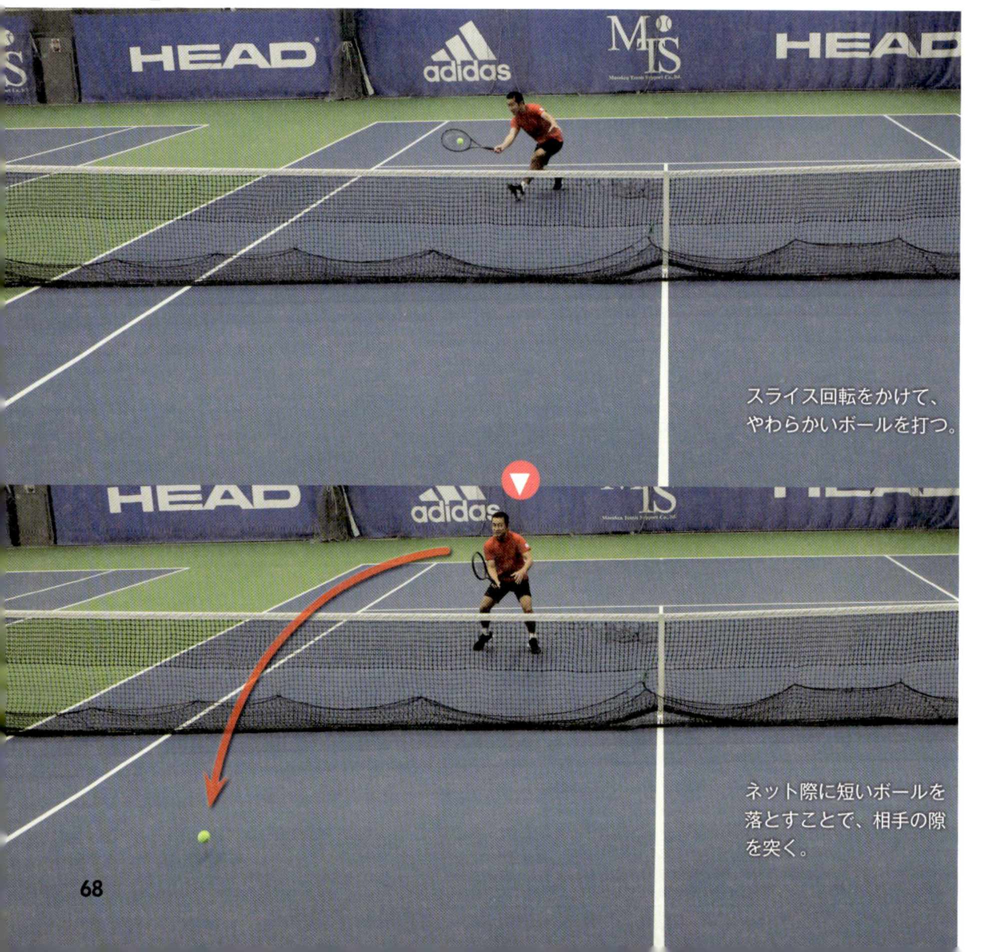

スライス回転をかけて、やわらかいボールを打つ。

ネット際に短いボールを落とすことで、相手の隙を突く。

チェックポイント

❶スライス回転をかけてやわらかいボールを打つ
❷ネット際に短いボールを落とす
❸相手はカバーすることができない

+1 レベルアップ

戦術として非常に有効

テニスコートは横幅より縦幅の方が長いです。そのため、相手の横を通すショットでポイントを取ることだけでなく、縦の長さを生かしたショットでも、大きく揺さぶることができます。ドロップショットはネット際では非常に有効なショットになります。

POINT 2 ネット際に短いボールを落とす

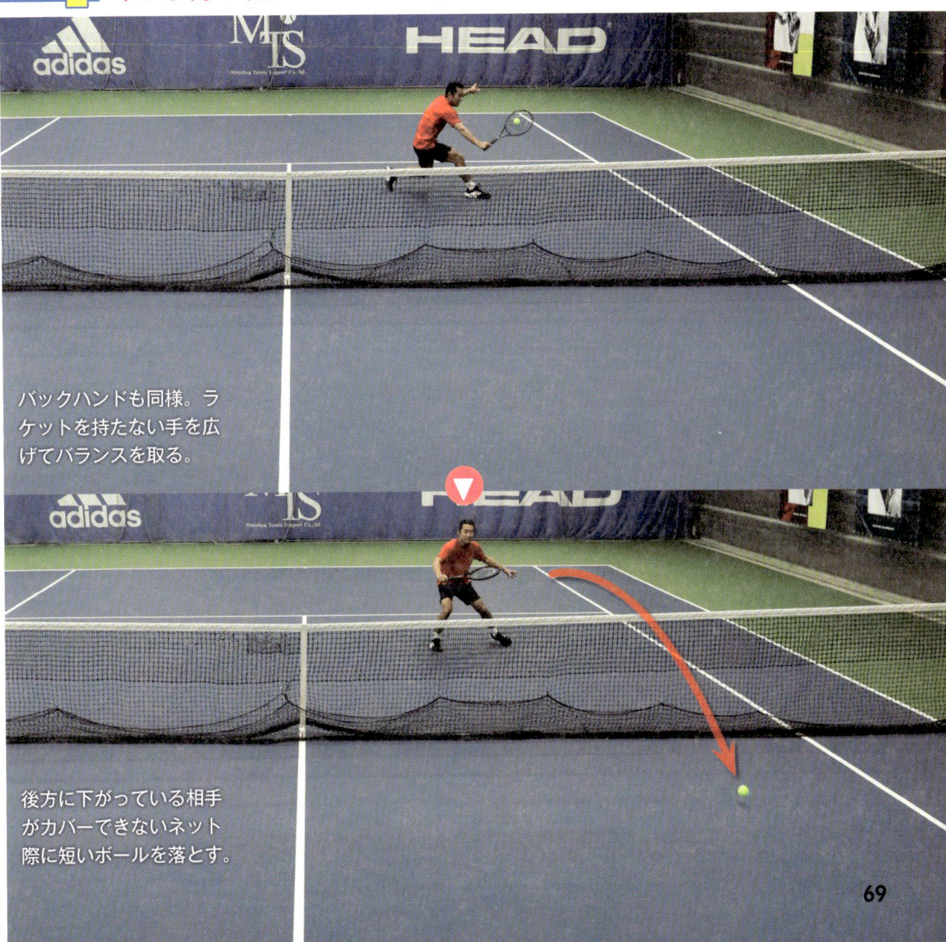

バックハンドも同様。ラケットを持たない手を広げてバランスを取る。

後方に下がっている相手がカバーできないネット際に短いボールを落とす。

コツ 19 Part 3 フィニッシュエリアのテクニック

確実に仕留めるためのボレー④ ネットに近づきながらのボレー

少しでもネットに詰めることで有利になる

フィニッシュエリアでは、より前でボールを取ったほうが、角度を付けたり、高い位置でボールを処理できるようになります。

距離を縮めることで、相手にコートカバーをさせず、確実にショットを決めるために、甘いボールが来たらすばやくネット前に詰めて、ボレーをしましょう。

POINT 1 浮いたボールが来たらネットに詰めながらボールを打つ

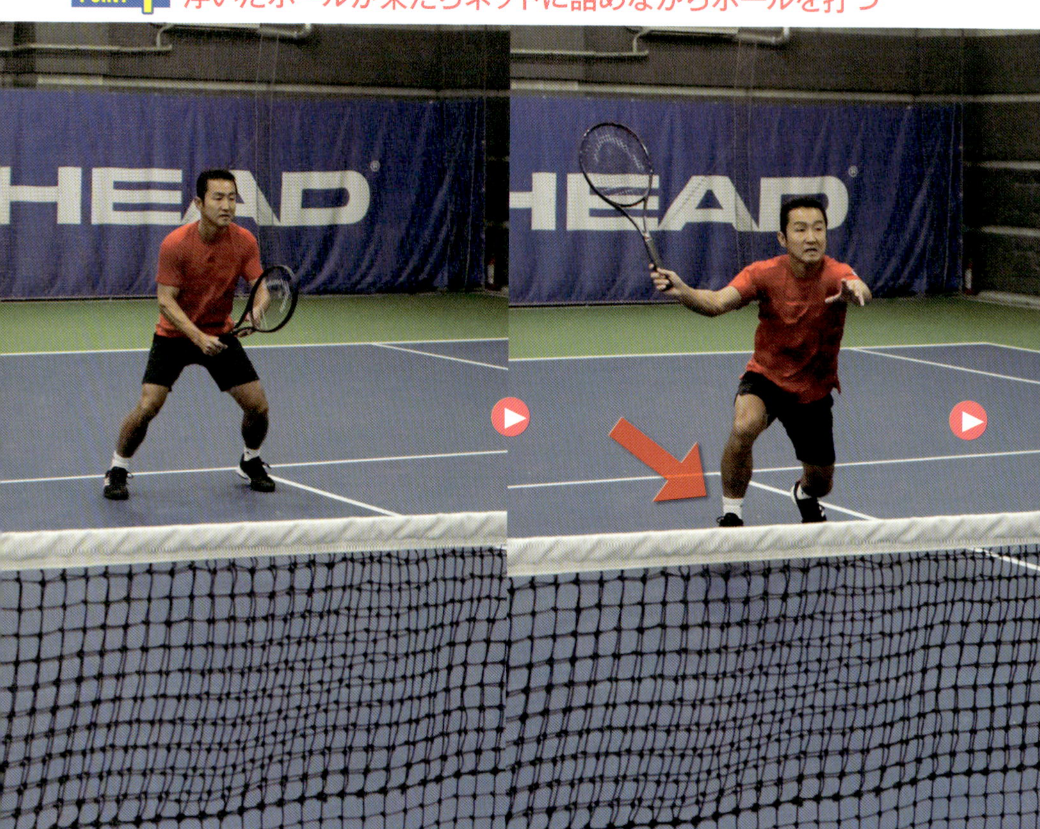

浮いたボールが来たら少しでも前へ詰める。

動きながらテイクバックをする。

チェックポイント

❶浮いたボールが来たらネットに詰めながらボールを打つ
❷より前でボールをとらえるとショットが決めやすくなる
❸沈むボールにも対処しやすくなる

+1 レベルアップ

足元にボールを落とさせない

自分がフィニッシュエリアに入ると、相手はポイントを決められないためにボールを低くコントロールして対応してくるケースがあります。ボールを足元に落とさせないために、少しでも速く前に詰めて高い位置でボールをとらえることで、ポイントを取りに行きましょう。

POINT 2 より前でボールをとらえるとショットが決めやすくなる

より前でボールをとらえることで、様々なショットを打ちやすくなる。

できるだけネット際まで詰めて打とう。

コツ 20 Part 3
フィニッシュエリアのテクニック

スマッシュとグランドスマッシュ

高さによって切り替えて処理しよう

浮いてきたボールが肩よりも高い位置であればスマッシュで勝負しましょう。相手に余力が残っていて、ロブで抜いてくる場合は、下がりながらスマッシュで対応しましょう。さらに高いロブを上げてきたらグランドスマッシュで処理をしましょう。

POINT 1 肩よりも高いボールにスマッシュで対応

肩よりも高いボールはスマッシュで対応。
ロブで抜いてくる場合は下がりながら打つ。

フィニッシュエリアから出たとしても
スマッシュで決めに行くことが大事。

チェックポイント

❶肩よりも高いボールにスマッシュで対応
❷さらに高いボールはグランドスマッシュで処理する
❸相手のいないオープンエリアを狙って打つ

オープンエリアを狙おう

スマッシュは力の入るショットなので、ついフルスイングで打ってしまいがちです。そのため、コントロールが甘くなることがあります。ショットのスピードに頼り過ぎず、確実にオープンエリアを狙って決めていきましょう。

POINT 2 さらに高いボールはグランドスマッシュで処理する

さらに高いロブを打って来たらワンバウンドさせよう。

ノーバウンドで難しい場合はグランドスマッシュで対応しよう。

Part 4

サービスとリターン

サービスの種類によって狙っていきたい有効なコースと、
リターンをするときに知っておきたい立ち位置の解説をします。

各サービスの狙う位置

サービスのコースは大きく分けて「センター」「ワイド」「ボディ」の3つに分けることができます。様々な回転でコースを狙い、効果的なサービスを打てるようになりましょう。

リターンの立ち位置

ファーストサーブとセカンドサーブでリターンの立ち位置を変えたり、防御から攻撃へ転じやすい位置へリターンを狙いましょう。相手のサービスに対して確実に返せるポジショニングをしましょう。

スピードの出るフラットサービスの効果的な使い方

スピードだけでなくコースも意識しよう

スピードの出るフラットサービスは、ファーストサービスで積極的にエースを狙っていきたいですが、ショットの精度にはつねに気を付ける必要があります。フォアサイドではセンター、ボディ。バックサイドではワイド、ボディへ狙うのが有効です。

POINT 1 ファーストサービスでエースを狙おう

フラットサービスは、ファーストサービスでエースを狙おう。

確実にコントロールできるように気を付けよう。

チェックポイント

1. ファーストサービスでエースを狙おう
2. スピードを生かし最短距離を行くセンターが有効
3. ボディで相手の意表を突こう

+1 レベルアップ

サービスの立ち位置も重要

サービスを打つときは立ち位置も意識しよう。写真のようにセンターマークに近すぎると角度のあるサービスが打ちづらくなります。反対に外に立ち過ぎると、コートカバーができなくなってしまいます。バランスの良い位置に立てるように意識しましょう。

POINT 2 スピードを生かし最短距離を行くセンターが有効

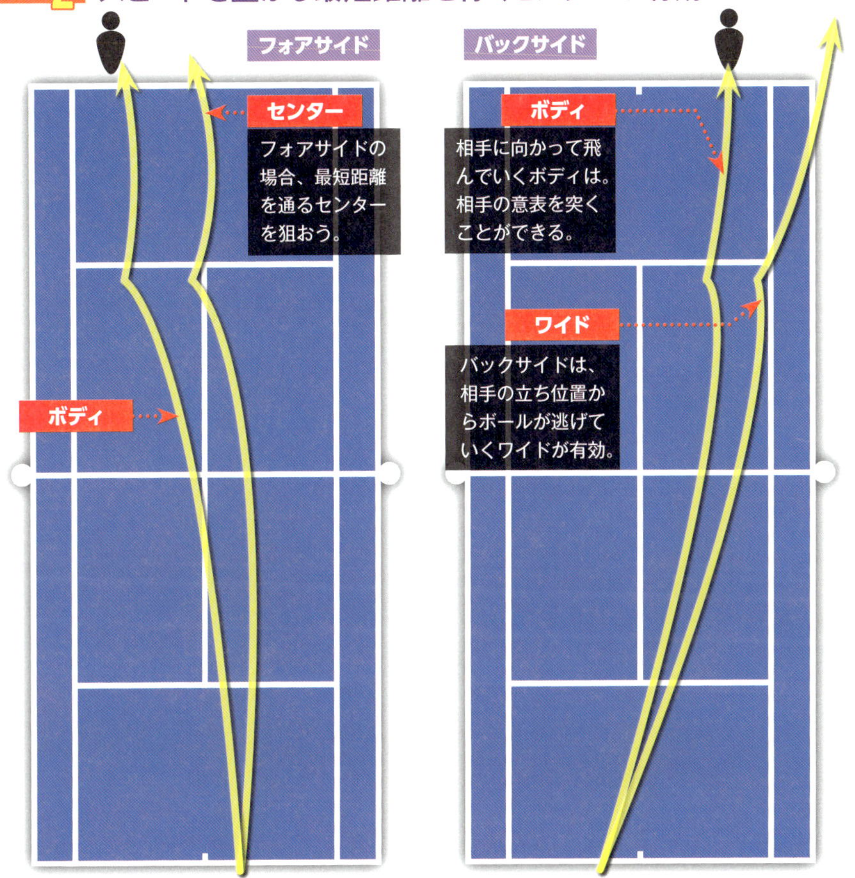

フォアサイド
センター
フォアサイドの場合、最短距離を通るセンターを狙おう。
ボディ
バックサイド
ボディ
相手に向かって飛んでいくボディは。相手の意表を突くことができる。
ワイド
バックサイドは、相手の立ち位置からボールが逃げていくワイドが有効。

コツ 22 Part 4 サービスとリターン

スライスサービスは外に離れていくエリアを狙うと効果的

回転を掛けてボールに変化を与えよう

スライスサーブは、右利きなら、カーブのように左にどんどん逃げていく球足になります。フォアサイドならワイドに打てばより回転によって相手からボールが逃げていきます。バックサイドならセンターに打つことで、同じように相手から逃げていきます。

POINT 1 横回転をしっかり掛けよう

スライスサーブは、ボールにしっかり横回転を掛けて打とう。

チェックポイント

❶横回転をしっかり掛けよう
❷フォア、バックどちらも外に離れていくように打とう
❸強い回転を掛けるほど、カラダが開かないように注意しよう

+1 レベルアップ

カラダの開きを抑えて打つ

スライスサービスは回転を強く掛けようとすればするほど、カラダの開きが強くなりやすいヒジの位置も落ちやすいため、つねにカラダの開きを抑えてボールを打てるように意識していこう。

POINT 2 フォア、バックどちらも外に離れていくように打とう

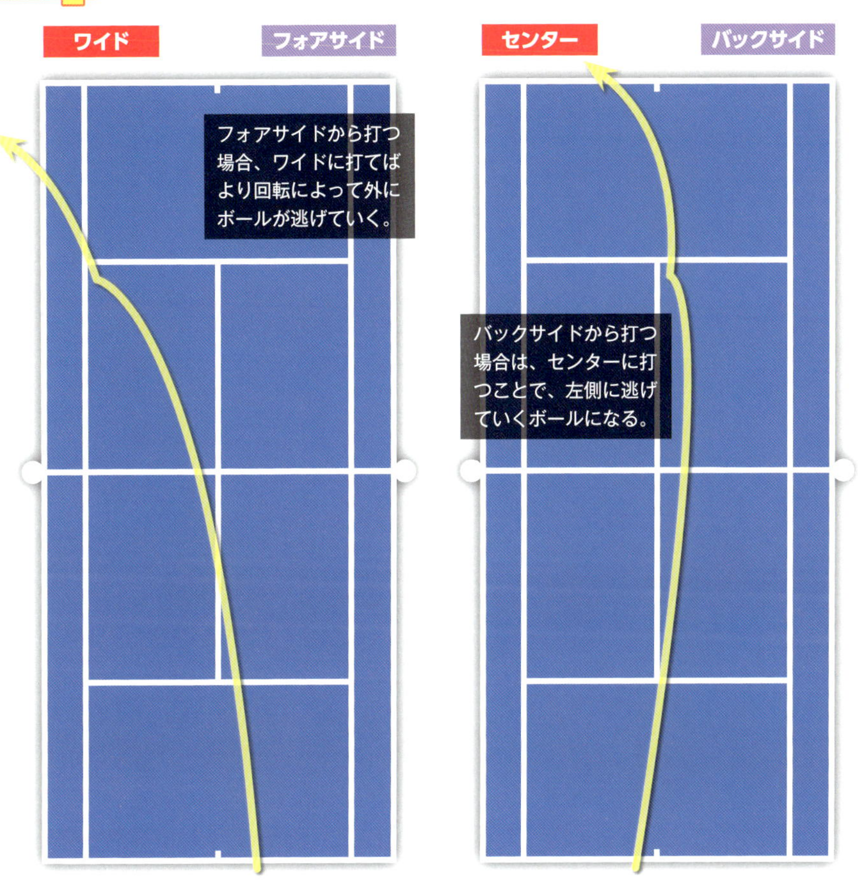

ワイド
フォアサイド
センター
バックサイド
フォアサイドから打つ場合、ワイドに打てばより回転によって外にボールが逃げていく。
バックサイドから打つ場合は、センターに打つことで、左側に逃げていくボールになる。

コツ 23 Part 4 サービスとリターン

セカンドサービスはスピンサービスを使って安定性を高めよう

落ちた後に大きくバウンドする

スピン系の回転は山なりの非常に安定した球足になるので、セカンドサービスで有効に使えるサービスです。ボールの速度は遅いですが、落ちた後も大きくバウンドするので、相手にとっては攻めにくいサービスです。バックサイドのときはワイドにボールが逃げていくため、さらに有効なショットになります。

POINT 1 順回転で安定するのでセカンドサービスに有効

巡回転で山なりになるので、セカンドサービスに有効。

チェックポイント

❶順回転で安定するのでセカンドサービスに有効
❷フォアはセンター、バックはワイドが有効
❸ヒザを曲げてカラダを傾けて打つ

+1 レベルアップ

トスアップの際カラダを傾ける

スイングする際、フラットサービスやスライスサービスと異なりカラダを傾けるようにして打ちましょう。トスアップするとき、ボールを頭の後ろ側へ上げて、ヒザを曲げてカラダを傾けてテイクバックをします。

POINT 2 フォアはセンター、バックはワイドが有効

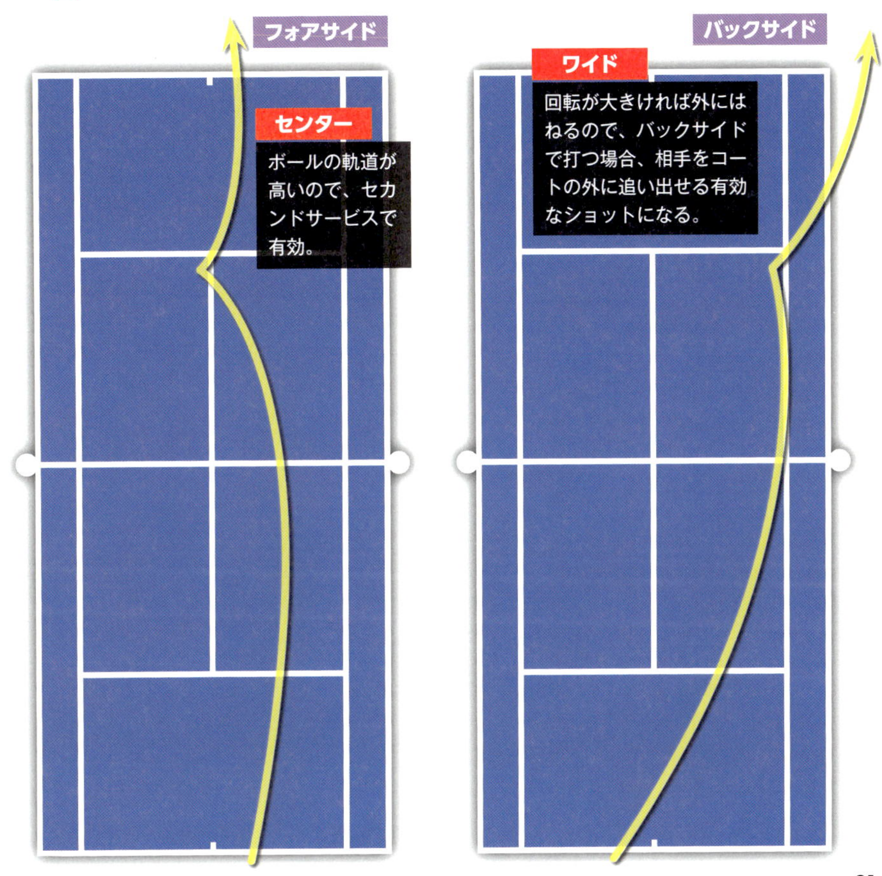

フォアサイド
センター
ボールの軌道が高いので、セカンドサービスで有効。
バックサイド
ワイド
回転が大きければ外にはねるので、バックサイドで打つ場合、相手をコートの外に追い出せる有効なショットになる。

コツ 24 Part 4 サービスとリターン

サービスの種類によってリターンの立ち位置を変えよう

ファーストは距離を取り、セカンドは立ち位置を上げる

リターンは相手のサービスによって立つ位置を変えましょう。基本的にファーストサービスの方が速いボールが来るので、少し距離を取るケースがあります。逆にセカンドサービスは自分から打ち込む攻撃のチャンスとなるので少し立ち位置を上げます。

POINT 1 ファーストサービスは少し距離を取る

スピードの出るファーストサービスに注意し、ベースラインから大きく後ろに下がるケースが多い。

チェックポイント

❶ファーストサービスは少し距離を取る
❷セカンドサービスは立ち位置を上げる
❸相手のサービスによって立ち位置を変更する

+1 レベルアップ

距離を取った際のデメリット

ファーストサービスに対して距離を取ることで、ボールのスピードに反応できるようになりますがデメリットもあります。極端に後ろに下がると角度を付けられたとき大きく動かないといけなくなります。相手のサービスに対して、どの位置で打てるかが大切です。

POINT 2 セカンドサービスは立ち位置を上げる

セカンドサービスは攻撃のチャンスなので、距離の短い位置に立つ。とてもはねるサービスを打つ選手の場合、立ち位置を下げてから打つ方法もある。

相手が攻撃できない位置へリターンを狙おう

打ち込まれないようにリターンをする

相手のサービスをリターンするときは、次に相手から攻撃されないところへ返球することが重要です。

せっかくリターンを返しても、次に打ち込まれてしまったら、なかなかリターンゲームで、ポイントを取れません。相手から打ち込まれないところへリターンを返球できるようにしましょう。

POINT 1 相手のバックハンドへリターンをする

相手のバックハンド側へリターンをすることで、次のボールを決められないようにする。

チェックポイント

❶相手のバックハンドへリターンをする
❷深い位置へコントロールする
❸スライスのリターンで３球目攻撃を阻止する

+1 レベルアップ

スライスのリターンも有効

低く弾まないスライスを使って返球することで、相手がサービスを打った後、次のボールで攻撃することを阻止する方法もあります。スライスのリターンは速度が遅いため、戻る時間を稼ぐためにも有効なショットになります。

POINT 2 深い位置へコントロールする

深いエリアに返球することで、打ち込まれないように相手の攻撃を阻止する。

Part 5
シングルスで勝つための戦術

テクニックだけでなく、シングルスで勝つために必要な
相手との駆け引きの仕方や戦術を紹介します。

オープンエリアを狙う

相手がいないエリアに打つことで相手の体力を減らしたり、ミスにつなげることができます。

得意なショットへ誘い込む

自分の得意なショットが打てるようにするために、相手を誘い込むショットを打ちましょう。

相手の弱点を突く

相手の得意分野で勝負しないで、相手が苦手なショットや弱点を突くことで試合を有利に進められます。

相手の意表を突く

チップ＆チャージや、サーブ＆ボレーなど、相手の意表を突くテクニックを解説します。

オープンエリアを狙い相手を走らせてチャンスを作る

コースを変えてオープンエリアを狙う

シングルスの戦術の基本的な考えかたは、相手を走らせることです。

動きながらボールを処理すると、ミスをする可能性が高くなります。つねに相手を動かして効率よくポイントを取れるようにしていきましょう。

POINT 1 相手を走らせることで、相手のミスにつなげる

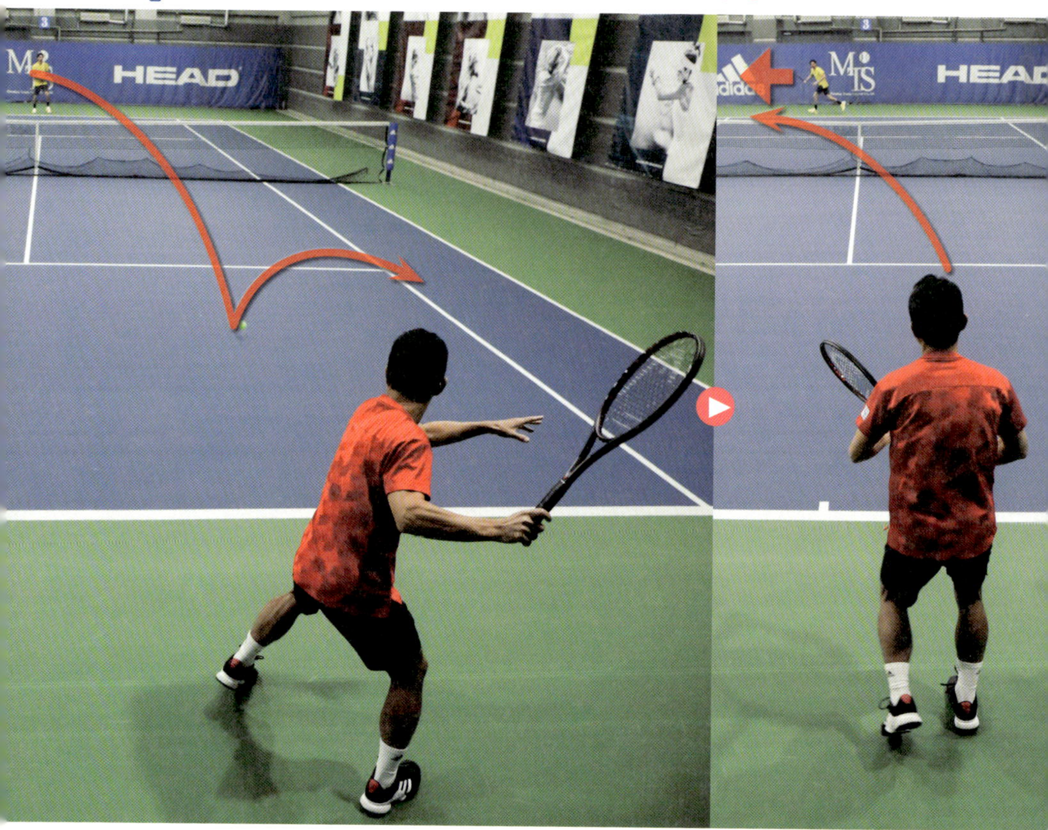

ストレートから来たボールをクロスのオープンエリアへ返す。

ボールのコースを変えることで相手を走らせる。

チェックポイント

1. 相手を走らせることで、相手のミスにつなげる
2. 来たボールのコースを変えることで相手を走らせる
3. リスクを取って積極的にポイントを取りに行こう

+1 レベルアップ

コースを積極的に変えていこう

コースを変えることは、非常に難しい技術の1つです。上位にいる選手達はボールのスピードよりもコースを変えるテクニックが圧倒的に高いです。コースを変えるとミスが起こりやすいですが、そのリスクを取って積極的にポイントを取りに行くことが勝ちにつながります。

POINT 2 来たボールのコースを変えることで相手を走らせる

バックハンドも同様にコースを変えて相手を走らす。

相手は走りながら処理しなければいけなくなり、ミスにつながる。

コツ 27 Part 5 シングルスで勝つための戦術

ショットに回転を与えて相手が打ちにくいボールを返球する

回転を織り交ぜ戦術の幅を広げよう

ストロークの中に、回転のショットをうまく使って織り交ぜることで戦術の幅が広がります。軌道の低いスライスショットを使ったり、高く弾むトップスピンを使ったりして相手のミスを誘いましょう。

POINT 1 スライスショットで相手のリズムを狂わせる

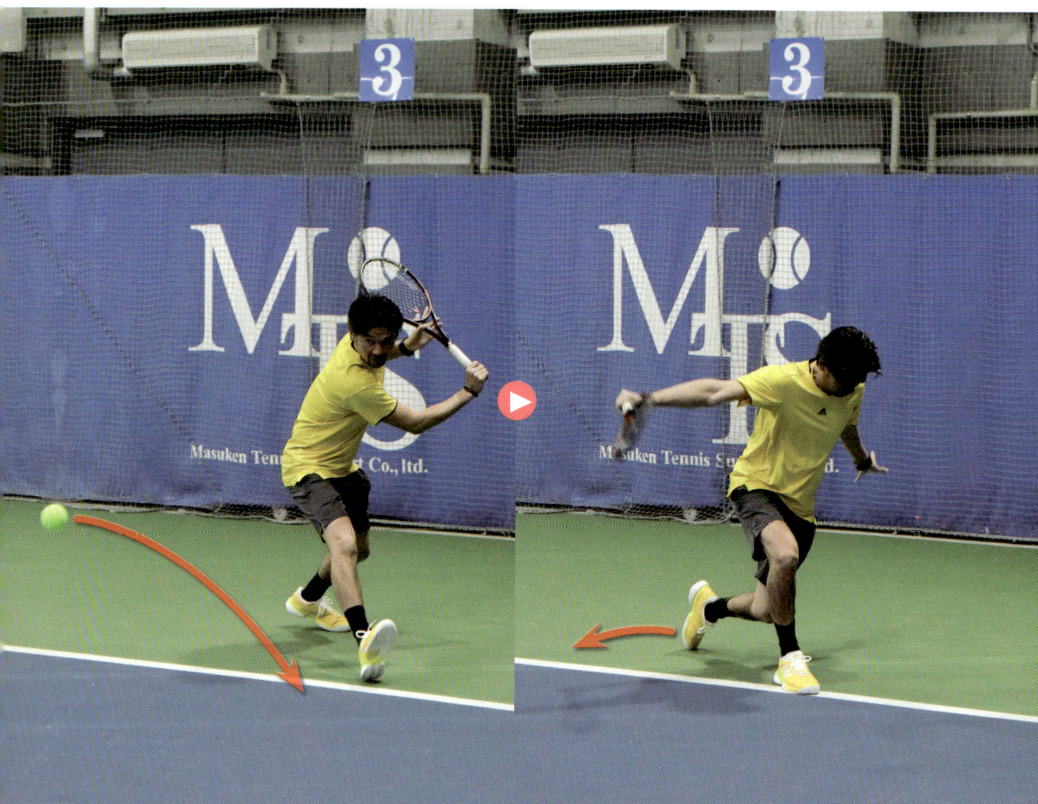

球足が低いスライスショットで相手のミスを誘う。　相手は低い打点で打つため、ミスにつながりやすい。

チェックポイント

1. スライスショットで相手のリズムを狂わせる
2. 回転量の多いトップスピンショットで高く弾ませる
3. 相手が心地良いと思うラリーをさせない

+1 レベルアップ

ボールに変化を与えてミスを誘う

ただ打ち合いをして相手にとって心地の良いボールを打っていても、相手はなかなかミスをしてくれません。スライスショットでリズムを狂わせたり、威力のあるトップスピンで、相手を追い込むことでポイントを取れるラリーができるようになります。

POINT 2 回転量の多いトップスピンショットで高く弾ませる

回転量の多いトップスピンショットでボールを弾ませる。

処理できず、相手のミスにつながりやすい。

ラリー中に得意なショットをなるべく多く打ち主導権を握る

ラリー中に自分の得意なショットを使っていこう

試合の主導権を握ってプレーしている状態にするには、いかに多く自分の得意なショットを打てているかがカギになります。積極的に動き、ラリー中に何度も自分の得意なショットを使って試合の主導権を握ってゲームを有利に進めましょう。

POINT 1 得意なショットを打つために積極的に動く

フォアハンドの逆クロスが得意な場合、バックサイドに来たボールを、積極的に回り込んでフォアハンドで取りにいこう。

チェックポイント

1. 得意なショットを打つために積極的に動く
2. ラリー中に得意なショットを何度も打つことで有利に試合を進める
3. 待つのではなく積極的に動いていこう

+1 レベルアップ

積極的に得意なショットで取りに行く

ラリー中に待っていても自分の打ちたいところにボールは来ません。フォアハンドが得意であれば積極的に回り込み、ボレーが得意であれば、積極的に前へ行かないといけません。自分から動いて自分の得意なショットを何度も打てるようにしていきましょう。

POINT 2 ラリー中に得意なショットを何度も打つことで有利に試合を進める

得意なショットを打つことで、主導権を握ることができる。試合中に何度も打てるようになれば、それだけ有利に進めることができる。

得意なショットを打つために誘い込むショットを打つ

自分の得意なショットを生かそう

例えばストレートが得意だからといって、ただやみくもに、来たボールを相手のいるストレートに打ち返しても意味がありません。自分の得意なショットを生かすために、うまくオープンエリアを作ったり、ボールの速度をコントロールしたりして、得意なショットを打ちやすくするような配給をしていきましょう。

POINT 1 オープンエリアを作ってそこに得意なショットを打つ

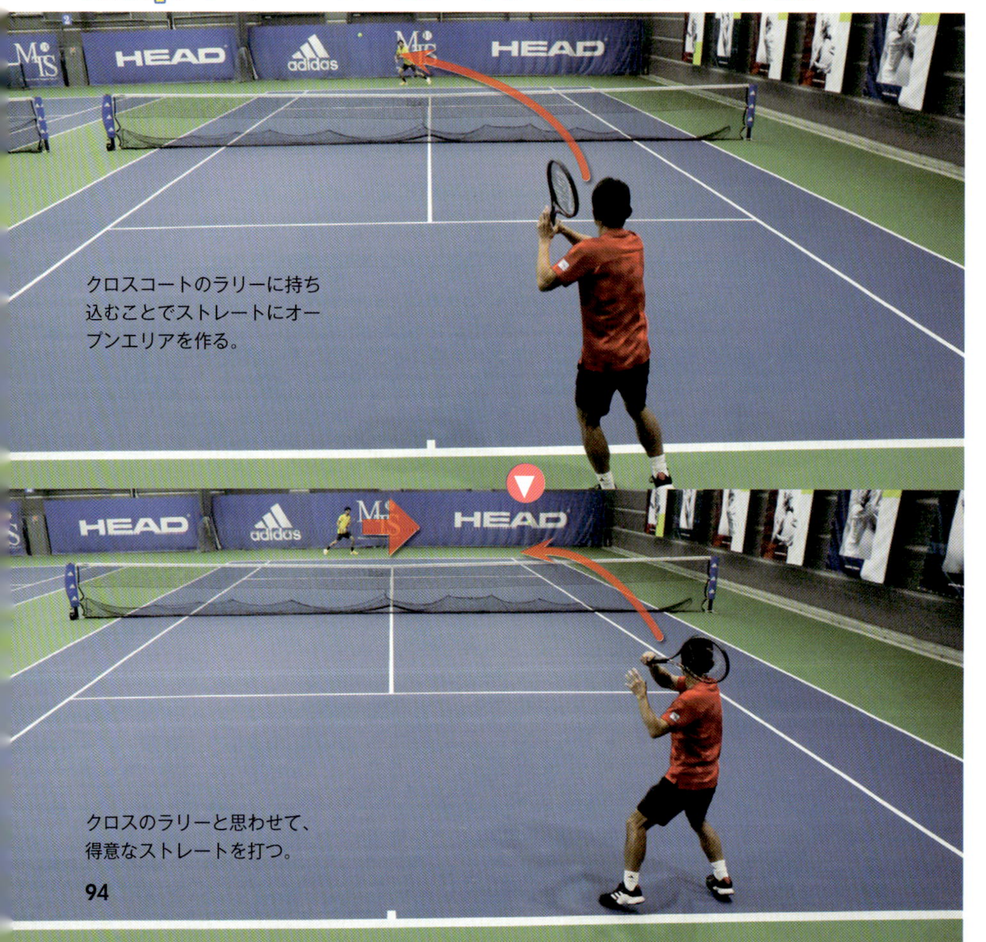

クロスコートのラリーに持ち込むことでストレートにオープンエリアを作る。

クロスのラリーと思わせて、得意なストレートを打つ。

チェックポイント

1. オープンエリアを作ってそこに得意なショットを打つ
2. ボールの速度をコントロールしよう
3. 得意なショットへ誘い込むショットを意識しよう

+1 レベルアップ

誘い込むボールを使おう

ただ闇雲に自分の得意なショットを打つのではなく、うまくオープンエリアを作ってから、得意なショットを打つことによって、よりショットが効果的になります。得意なショットが打てるように、誘い込むボールを打つことで得意なショットを打つ回数が増やしていきましょう。

POINT 2 ボールの速度をコントロールしよう

バックハンドで球足の遅いスライスを選択して、ラリーの速度を落としてからフォアハンドへ回り込む時間を作る。

回り込んで、得意なフォアハンドで強力なショットを打つ。

相手の弱点を突くことで試合を有利に進める

相手の弱点を狙っていこう

相手が苦手なショットや、どんな展開が苦手なのかわかったら、そこを狙っていきましょう。例えば、高いバックハンドの位置は一般的に処理するのが難しいです。

また、ストロークはうまくてもボレーが苦手な相手なら、わざと前へ来させてボレーをミスさせるなど、相手の弱点を狙ってプレーしていきましょう。

POINT 1 回転をかけて大きく弾むボールで高い位置のバックハンドを狙う

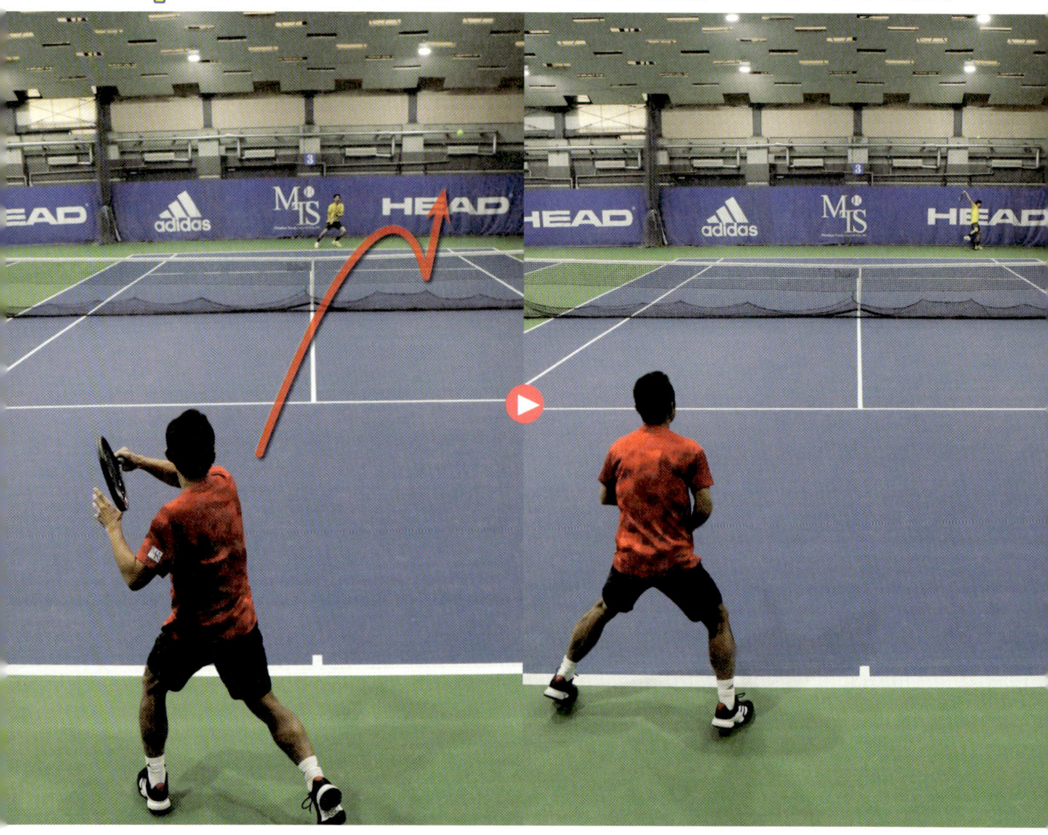

トップスピンショットで回転をかけて大きくバックハンドで弾むボールを打つ。

相手に苦手なショットを打たせることで、相手のミスを誘い出そう。

チェックポイント

❶回転をかけて大きく弾むボールで高い位置のバックハンドを狙う
❷苦手な展開でプレーさせるように誘い込む
❸あえて自分の得意な展開を捨てても相手の苦手なプレーをする

+1 レベルアップ

相手の得意分野で勝負しない

自分の得意な展開であっても、それが相手にとっても得意な展開であった場合、なかなかポイントにつながりません。例えば、相手がパッシングが得意ではない場合、自分がストロークが得意であっても、積極的にネットを取っていくのもいいでしょう。相手にパッシングを打たせる展開を作っていき、あえて自分の得意な展開を捨てても、相手に取って苦手なプレーをすることが大事です。自分の苦手な展開やショットばかりでは自分のプレーを見失ってしまう恐れもあるので、うまく要所で取り入れて展開できるといいでしょう。

POINT 2 苦手な展開でプレーさせるように誘い込む

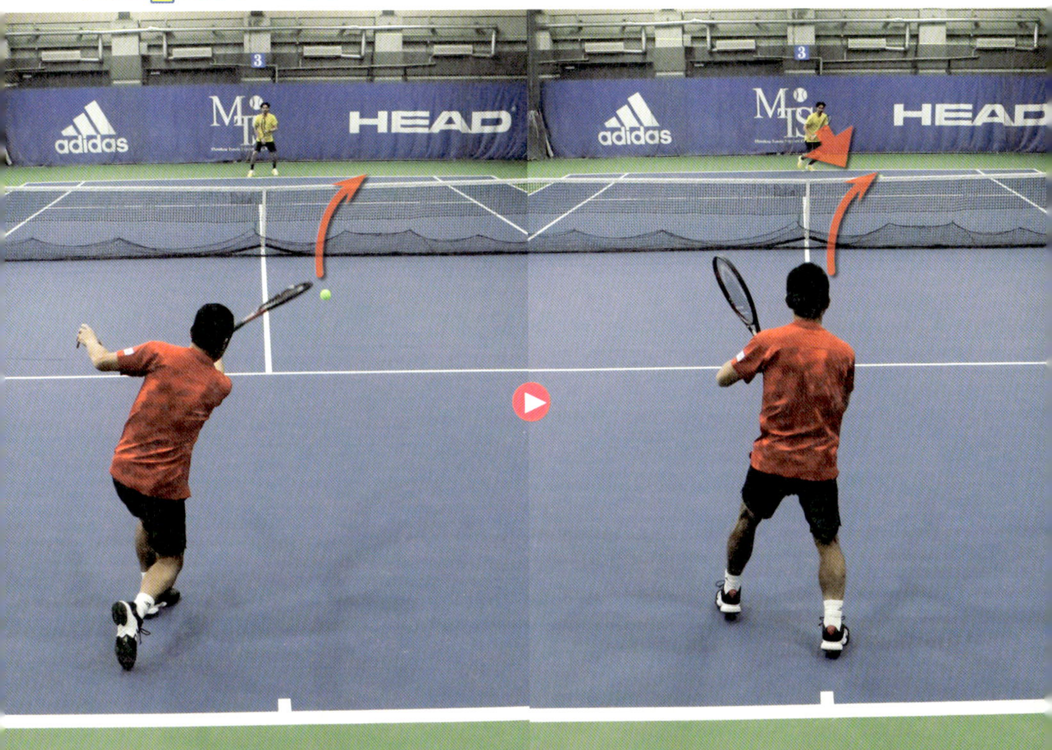

ストロークは得意でもボレーが苦手な相手の場合、ドロップショットなどで、前へおびき出す。

相手が苦手なボレーに対して、ストロークショットを打つ。

コツ
31
Part 5
シングルスで勝つための戦術

相手の意表を突くショット① チップ&チャージ

相手の意表を突いてリターンダッシュ

相手の意表を突くショットを持っていれば、それだけ戦術の幅が広がります。例えば、相手がブレークポイントなどでダブルフォルトしたくないとき。いつもより正確に入れようとしているところに、チップ&チャージを使って相手の意表を突きます。

POINT 1 ネットに詰めるために早い打点でボールをとらえる

相手のサービスに合わせて前へ踏み込む。

前に踏み込みながらスライスショットでリターンをしていく。

チェックポイント

1. ネットに詰めるために早い打点でボールをとらえる
2. 打ったらすぐにネット前へ詰める
3. ブレークポイントのときなどに使うと効果的

+1 レベルアップ

躊躇せずに前へ詰める

チップ＆チャージは一瞬でもスタートの判断が遅れると成功しないショットです。行くと決めたら、躊躇せず、前に詰めていくことが大事です。少しでも前に詰めて相手により大きなプレッシャーを与えてミスを誘いましょう。

POINT 2 打ったらすぐにネット前へ詰める

打ったら、そのままネットに詰める。

ネットに詰めていくことで、相手へプレッシャーを掛けることができる。

相手の意表を突くショット②
サーブ&ボレー

相手が来ないと思っているときに打つと効果的

相手が、こちらがサーブ＆ボレーをしてこないと思っているようなときに使えると効果的です。

ゲームの流れを読み、つねに相手の心理状況を観察しながら不意を突いて使っていきましょう。

POINT 1 サービスを打ったら、すぐに前に出る

相手の心理を読んでおく。

躊躇せずに前へ。

チェックポイント

❶サービスを打ったら、すぐに前に出る
❷相手が油断していたところをボレーで決める
❸サーブ&ボレーが使えると相手にプレッシャーを与えられる

+1 レベルアップ

リターンする相手に緊張感を持たせよう

意表を突くサーブ&ボレーは効果的ですが、要所でサーブ&ボレーを混ぜることによって、相手はただリターンを返すのではなく、つねに「サーブ&ボレーが来るかもしれない」と警戒しながらリターンをすることになり、リターン側にプレッシャーを掛けることができます。あまりサーブ&ボレーが得意でない場合は、40-0など大きくポイントが開いたときなど、うまく混ぜておくことで、相手にサーブ&ボレーを警戒させることもできます。うまく取り入れて、リターン側にプレッシャーを与えましょう。またゲームの序盤に取り入れることで相手に試合のリターンゲーム中、つねに警戒心を持たせることもできます。

POINT 2 相手が油断していたところをボレーで決める

甘くなったリターンを見逃さずボレーへ。

ボレーで相手のいないオープンエリアへ打つ。

相手の意表を突くショット③ 打つと見せてからのドロップショット

思いきり打つと見せかけて手前に落とす

いかにもこれから「エースを取りますよ」と、打つ構えをすることで相手はディフェンスをするために下がります。ギリギリまで打ち込むと見せかけてドロップショットをチョンと手前に落としたりすると、相手は意表を突かれます。

POINT 1 打ち込みの構えで相手にストロークを打つと思わせる

相手のボールに合わせて構える。

いかにも打ち込みをすると思わせ、ギリギリまで構える。

チェックポイント

1. 打ち込みの構えで相手にストロークを打つと思わせる
2. 直前でドロップショットに切り替える
3. ギリギリまで気づかせないことで、相手の意表を突く

+1 レベルアップ

相手に打つと気づかせないこと

写真のように、最初からドロップショットの構えになっていると、相手に打つと感づかれてしまいます。できるだけ、ギリギリまで気づかせないように注意しましょう。ショットを成功させるだけでなく、チャンスボールを力強く打とうとする演技力も必要です。

POINT 2 直前でドロップショットに切り替える

打つ瞬間にドロップショットに切り替える。

ネットの手前に落とすように打つ。

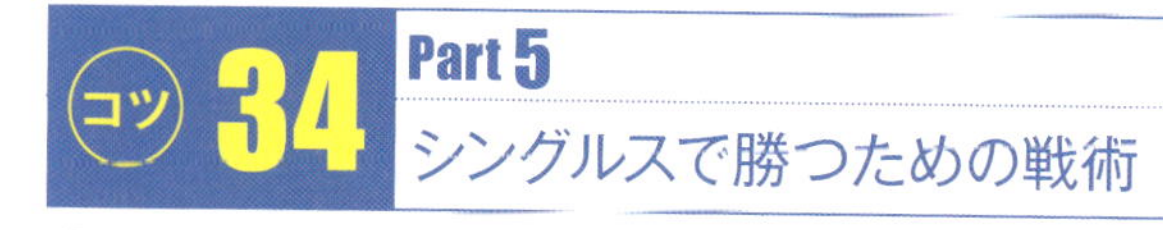

相手の姿勢の崩れを見たら すぐにネットを突く

相手の体勢の崩れを見逃さないように

ラリー中にふと良いボールが打てて、相手が体勢を崩したら、すぐに前に詰めてボレーで終わらせるように意識しましょう。甘くなったボールを見逃してバウンドさせてしまったら、相手に態勢を立て直す時間を与えてしまいます。チャンスと見たら、どの位置からでもネットを取りにいきましょう。

POINT 1 ラリー中、相手の態勢を良く見ておこう

ラリー中にオープンエリアを狙い、相手を走らせた。　相手の体勢が崩れた瞬間にネットへ詰める

チェックポイント

❶ラリー中、相手の態勢を良く見ておこう
❷すばやく詰めてボレーでカットする
❸躊躇せずにネットへ詰める

+1 レベルアップ

躊躇せずに前へ

良いボールを打って相手がバランスを崩した瞬間に躊躇なく前へ詰めることが大切です。ネットへの詰めが遅いと次のボールを決めきれず、切り替えされてしまいます。どの位置からでも、ネットを取れるようにショットを打った後、準備しておきましょう。

POINT 2 すばやく詰めてボレーでカットする

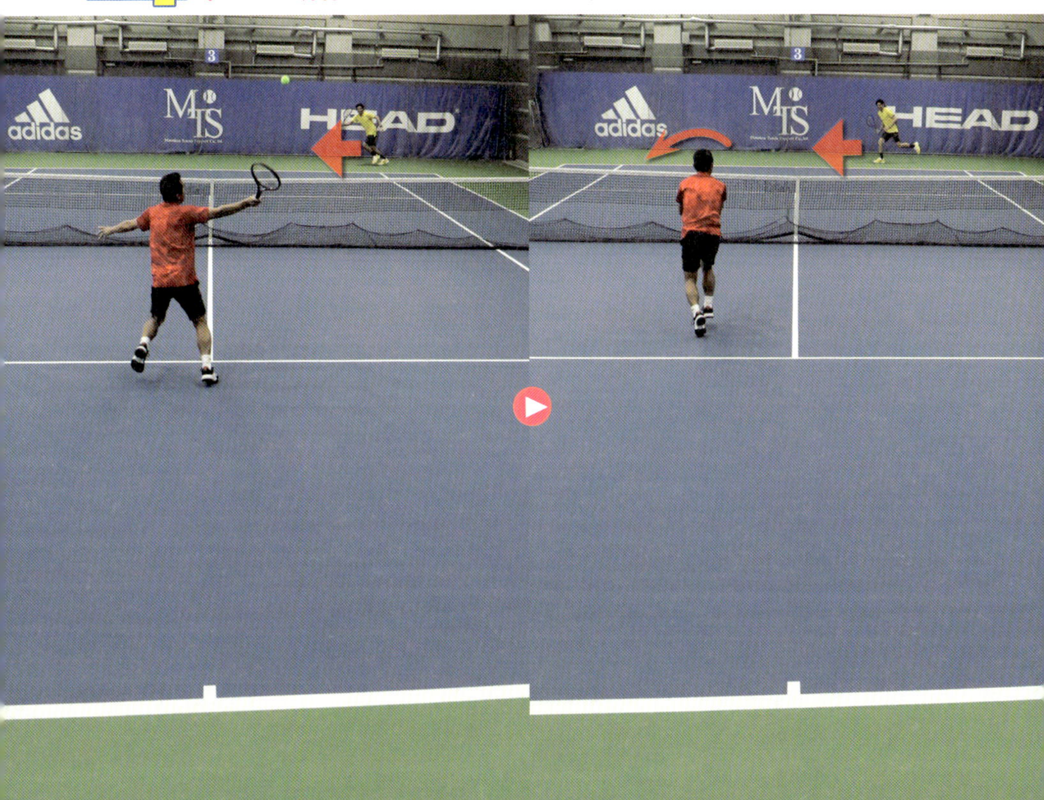

処理に失敗したボールをボレーでカット。

ボレーでオープンエリアに打ってフィニッシュ。

Part 6
試合に勝つための メンタル・心構え

この章では練習や試合の前後に必要な心構えや準備、
そして試合中に陥りやすい状況を取り上げて、
どのようなメンタルが求められるか解説します。

試合前に必要な準備やアップ

試合前に行う事前準備や試合当日の流れを確認しましょう。

自分に合ったルーティンを持つ

集中力を高めるために行うルーティンや緊張感を無くす方法を紹介します。

試合中の集中力の保ち方

アイコントロールなど、試合中に行うことができる集中力の高め方を紹介します。

試合後に行うこと

次の試合に向けて必要な肉体的、精神的なメンテナンスの方法を紹介します。

試合前に必要な準備やウォーミングアップ

事前の準備が結果に大きく影響する

試合の前にどれだけ準備できるかが、結果に影響します。試合開始直前に会場に慌てて入ると、パフォーマンスが発揮できません。余裕を持って会場入りしましょう。

また、試合で緊張しないためには、相手に勝つイメージを持ち、事前に試合をシミュレーションすることが大事です。緊張を無くし、集中力を高めることができます。

当日の流れ		
8:00	会場入り・準備開始	プロ選手になると会場入りが早く、少なくとも試合の2時間前から会場入りして、ボールの手配、水の手配などを行う。
8:30	ウォーミングアップ開始	試合がはじまってすぐにパフォーマンスを発揮できるように、ランニングやストレッチング、アジリティーなどのウォーミングアップを行う。
9:00	オンコートでのヒッティング	一通りのショットを打っておく。 ※テニスを行う環境が無い場合は、更に負荷の高いウォーミングアップを行い、動き出す準備をしておく。
9:30	着替え・試合の準備	着替えなど試合への準備をしながら、集中力を高めていく。
10:00	試合開始	事前にシミュレーションをしておくことで、緊張せずにパフォーマンスを発揮することができる。
試合後	クールダウン	試合後はすぐにストレッチングやアイシングでクールダウンをする。

チェックポイント

❶ウォーミングアップでカラダを十分に温める
❷相手に勝つイメージを持ち想像することで集中力を高める
❸緊張したら相手をしっかり見て勝つことだけを考えよう

POINT 1 ウォーミングアップでカラダを十分に温める

試合がはじまってすぐに最大のパフォーマンスを出せ、ケガの予防にもなるので、コートに入る前は必ずカラダを温めることが必要です。目安としては30分以上。軽いランニングやストレッチ、ダッシュなどを組み合わせて行います。汗が出てくるまでウォーミングアップを行っておきましょう。

POINT 2 相手に勝つイメージを持ち想像することで集中力を高める

試合前には目いっぱい集中力を高めて、相手に勝つ自分を想像しましょう。うまくプレーしている自分をどれだけ想像できるかがカギです。対戦相手が知っている人だったり、情報があれば、その選手をイメージして試合のシミュレーションを頭の中でします。どこにどういうショットを打つといいか、相手の弱点を狙ってポイントを取る。そういった、これから起こるであろう良いイメージを自分の中に想像として膨らましておくと、集中力を高めることができます。プロの選手は事前に対戦相手の映像を入手したり、対戦したことのある選手から情報をもらい、試合のシミュレーションをしています。

POINT 3 緊張したら相手をしっかり見て勝つことだけを考えよう

試合で緊張しないためには、本番の試合を頭の中で思い描いて普段の練習を行いましょう。緊張とは慣れないことを行ったときに起こる現象です。人がたくさん見ている中で、このショットは絶対にミスしちゃいけない、という緊張感を持って練習すれば、それに慣れて本番で緊張しにくくなります。それでも本番で緊張してしまったら、まずは相手をしっかり見ること。「負けたらどうしよう」と考えて不安になるのではなく、相手をしっかり見てどうやって勝つのかだけを考えます。そうすると、自然と緊張感はなくなります。色々と考えるとカラダは余計に動かなくなるので、頭の中をシンプルにしましょう。

コツ 36 Part 6 試合に勝つためのメンタル・心構え

ルーティンを行うことで普段の力を十分に発揮する

慣れない会場でも同じ行動をするのが大事

ルーティンは集中力を高めるために行う自分の中の儀式みたいなものです。テニス選手は世界中で試合をします。いつも違う会場に行き、勝手が違うので不安になるものです。慣れている行動を行うことで、どこにいても同じ精神状態になり、不安を排除し、普段の力を十分に発揮することができるのです。

POINT 1 お気に入りの音楽を聞いて集中力を高める

お気に入りの音楽を必ず試合前に聴くのもルーティンになる。例えば音楽を聞きながら決まったストレッチングをしてスタンバイをする選手もいる。

チェックポイント

❶お気に入りの音楽を聞いて集中力を高める
❷過去の良いプレーの動画を見て気持ちを高める
❸自分に合ったルーティンを持とう

POINT 2 過去の良いプレーの動画を見て気持ちを高める

最近はスマートフォンやタブレットを使って、自分の過去の良いプレーの動画を見る人もいます。ルーティンの１つとして気持ちを高めて、集中力を上げてから、試合に入ることができます。良いイメージを頭に焼き付けてから、プレーに入ることで、パフォーマンス向上が望めます。

POINT 3 自分に合ったルーティンを持とう

人によってルーティンは様々です。私の場合は絶対どんなときでもラインを右足でしか渡らないようにしています。また、試合中、コートチェンジするときに審判台を必ずちょっと握る選手もいたり、ラケットをくるくる回してから待ったり、飲んだドリンクを２つ必ず同じ方向にピタっと向けて置いている選手もいます。

トップの選手になると、そういった自分の中の癖みたいなものを必ず持っています。そうして、いつも同じ雰囲気を作り出して自分が変わらないことで不安から逃れ、ぐっと気を引き締めています。決まった動作をすることで、絶えず変化する環境の中でも、気持ちを落ち着かせる効果があります。

+1 レベルアップ 一人になることで集中力を高める

集中力を高めるために、少し自分で一人になれる時間を作ることも大切です。よくタオルなどを頭から被っている選手もいますが、そうすることで、近くに人がいても自分の世界に入り、集中することができます。試合会場には大勢の人がいるため、集中できないときもあります。一人の時間を作る工夫をしましょう。

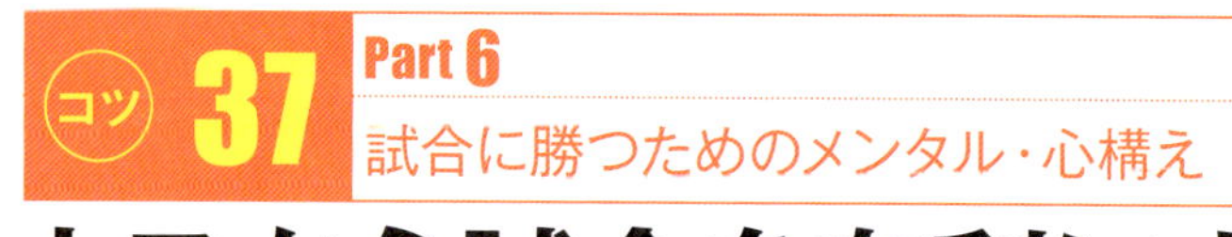

トスから試合を有利にする駆け引きは始まっている

自分の有利な状況になるように選択しよう

意外とシングルスで悩むのがトスに勝ったときです。サービスかリターンか、コートサイドかどれかを選べますが、会場の状況に応じて選んだり、自分が有利な状態に持っていくことができるので、それぞれ選ぶときの基準をしっかりと決めておきましょう。そのときの自分の調子や環境も考慮して有利な選択をしましょう。

POINT 1 試合の環境や精神状態に合わせて選択しよう

選択によっては、試合の最初からリードできる可能性もあるので、もしトスに勝ったら、そのときの会場の様子や自分の精神状態などから計算して、ベストの選択をしよう。

チェックポイント

❶試合の環境や精神状態に合わせて選択しよう
❷サービスを選んだ場合はリードするチャンスがある
❸相手の出方を見たいときなどにリターンを選ぼう

POINT 2 サービスを選んだ場合はリードするチャンスがある

最初にリードを取ることができれば、余裕が出ます。さらに、もし相手のサーブを先にブレイクすれば大きくリードし、精神的に勝っている気持ちを保てます。反対に、カラダが温まっていない内に先にサービスをすると、ブレイクされる可能性があります。出だしのサービスゲームは注意が必要です。

メリット①	先にリードして、相手をブレイクできれば…3-0、4-1、5-2とつねに先行して大きく勝っている気持ちで進められる。
メリット②	先にブレイクされても…1-2、2-3、3-4と大きく引き離されることなく進めれる。
デメリット	出だしでブレイクされないように注意。

POINT 3 相手の出方を見たいときなどにリターンを選ぼう

相手の出方を見たいときや、スロースターターでまだカラダが温まっていないうちに大切なサービスゲームを失いたくないという人は選ぶといいでしょう。また、相手のカラダが温まっていない内にブレイクを狙えるチャンスです。出だしのゲームから、リズムに乗れなくても大丈夫なのもメリットです。

+1 レベルアップ

自然環境も意識して選ぼう

アウトドアの試合では、例えば太陽の光が眩しかったり、風上風下がはっきりしているような、自然環境が大きく影響する場合に自分が最初に立つサイドを選択するときに選びます。インドアの場合は関係ありませんが、自然環境も意識すると有利に戦うことができます。自然環境は最終的に相手と平等ですが、有利不利を自分で選ぶことで試合を効率的に進めることができます。

コツ 38

Part 6

試合に勝つためのメンタル・心構え

試合中に気持ちや集中力を保ち相手の癖や弱点を見極める

ポジティブシンキングで行動は変わる

試合に勝つにはポジティブシンキングと集中力が必要です。ミスをしても「駄目だ~」ではなく「次はいける！」と思うだけで自然と次の行動が変わってくるものです。そして、高い集中力を保つことで相手の癖や弱点を見極めることができます。物事をポジティブに考えて、アグレッシブなプレーを目指しましょう。

POINT 1 アイコントロールでプレー中に集中力を高める

よくプロ選手がラケットのガットのズレを直す仕草をしていることがあります。これは「アイコントロール」と言って、一点に視線を集中させることで、集中力を高めるテクニックです。注意力が散漫になってきたら、アイコントロールで集中力を高めましょう。

チェックポイント

❶アイコントロールでプレー中に集中力を高める
❷自分を鼓舞しつねにポジティブに考える
❸高い集中力で相手を分析し癖や弱点を見極める

POINT 2 自分を鼓舞しつねにポジティブに考える

シングルスでは、自分１人で戦わなければいけません。つねに「自分が何とかする」「何とかして勝ちたい」、そう思いながらプレーをすることが大事です。消極的な考えではカラダも動きません。ポイントを取ったらガッツポーズをするなど、自分を鼓舞し、つねにポジティブシンキングをしましょう。

POINT 3 高い集中力で相手を分析し癖や弱点を見極める

試合中につねに相手の分析をすることで、どこのショットが弱いか、大事なところでどういうショットを選択してくるかといった、相手の微妙な癖や精神状況を読み取る必要があります。最初から全体の流れをしっかりと読んでおかないと、見極められないので、相当な集中力が必要です。癖を見極めても、相手もそれに気づき、途中で切り替えてくることもあります。あえて相手の癖に気づかないようにプレーする駆け引きも必要です。要所でしっかりポイントを取るために、要所ではないところを捨ててあえて得意なコース決めさせてあげることもあります。しかし、ここはというところを抑えると相手の精神的なダメージが大きくなります。

+1 レベルアップ

試合ができないようなケガをしてしまった場合

ドクターストップが掛かり、テニスができないようなケガをしてしまったら、イコール「休み」というわけではありません。休んでいると、その間に他の部分も弱ってしまい、また試合に出られるようになっても、他の部分をケガしてしまう二次被害が起こることがあります。つねにケガに悩まされている選手は、これが原因の１つである可能性が高いです。ケガをしたら、その時間をうまく利用してカラダを鍛えましょう。上半身をケガしているなら、走り込みができますし、下半身をケガしていれば上半身のトレーニングをするなど、どれだけテニスの試合のために勝てるカラダ作りが行えるかが大事です。ピンチはチャンスと思い、テニスができない時間をうまく利用して、さらに強いカラダを作っておくことで、復帰がスムーズになります。テニスを長く楽しむためにも、試合に勝つためにもカラダ作りを意識しましょう。

コツ 39
Part 6
試合に勝つためのメンタル・心構え

格上・格下の対戦相手と戦うときに気をつけること

気持ちの持ち方で勝敗が覆ることもある

大会では自分と全く同じ実力の選手と対戦するよりは、自分よりも格上の選手や格下の選手と対戦することが多いでしょう。格上の選手だからといって諦めたり、格下の選手だからといって油断していたら負けてしまいます。つねに挑戦者の気持ちを大切に、試合中にリードしたときも油断せずに相手の変化を分析しながら戦いましょう。

たとえ相手が格上で勝つ可能性が低くても諦めず、思いきったプレーでアグレッシブに攻めていこう。

チェックポイント

❶格上の相手には思い切ったプレーでポイントを取りに行く
❷格下の相手でも油断せずに挑戦者の気持ちで戦おう
❸リードしているときほど相手の変化を冷静に見極める

POINT 1 格上の相手には思い切ったプレーでポイントを取りに行く

格上の選手と対戦するときは、本来の自分の実力を100%出せたとしても、勝つことは難しいです。100%以上の力を引き出すには、普段よりもどれだけ思い切ったプレーができるかにかかっています。例えば自分が普段であれば、粘ってなかなか前に行かない場面でも、そこからアタックして前へ出てボレーでしとめようとしたり、普段はディフェンスが強くて守って勝つプレースタイルでも、アグレッシブにポイントを取りに行ったりする必要があります。そういったプレーをしない限り、格上の選手に勝つことは難しいでしょう。ただそれをやり続ける精神力を持たないといけないのでとても大変です。覚悟を持って臨みましょう。

POINT 2 格下の相手でも油断せずに挑戦者の気持ちで戦おう

相手にいかに良いプレーをさせず、実力通りの結果に終わらせるかが格下の選手との対戦で求められます。相手にとってこちらが格上になるため、必ず思い切ったプレーをしてきます。試合にはここぞという大事なポイントが存在します。そこでミスをしてしまうと、相手にゲームを与える隙を与えてしまい、そこから逆転されることもあります。そしてもう1つ、やはり格下の相手とはいえ試合は緊張もするし、勝たなければいけないというプレッシャーからディフェンシブなプレーになりやすいです。たとえ相手が格下であっても、チャレンジ精神を忘れず、自分がいつも挑戦者だという気持ちで戦いましょう。

POINT 3 リードしているときほど相手の変化を冷静に見極める

リードをすると、「このリードを守りたい」「今のままやればいい」という意識が芽生えます。反対に、リードされている側は背水の陣で臨んできます。そうするとリードしている方が「さっきはこうやってポイントを取れたから次も同じで大丈夫」と思い、相手が明らかにパフォーマンスを上げてきても気付けない状況が続きます。そうすると「さっきはこのボールが決まってたのに決まらない」と思っているうちに、あれよあれよという間に追いつかれます。だからリードしたときも相手を冷静に分析し変化を見極めましょう。反対にリードされているときは、同じことをやっていても勝てないので、プレーを変化させていかなければいけません。

試合後に必ず行っておきたいこと

肉体的にも精神的にもメンテが必要

テニスの試合はトーナメントであれば基本的に勝つ選手は１人だけです。気持ちよく終われて次の大会に行く人は１人で、ほとんど全ての人が負けて終わります。なので、いかに試合を終わったあとに、次に切り替えて行動できるかが大切です。試合後には、肉体的な部分だけでなく、精神的にもメンテナンスを行いましょう。

試合を動画で撮影して、自分のプレーを振り返ったり、相手の分析をすることで、次へ向けて準備をしよう。

チェックポイント

❶負けても落ち込まず、すぐに立ち直ることが大事
❷次の試合に向けてなぜ負けたのかをしっかり分析する
❸技術が足りない分、メンタルで盛り上げる工夫をする

POINT 1 負けても落ち込まず すぐに立ち直ることが大事

技術や体力を高めるための練習はしていても、心（メンタル）を鍛えたり、メンテナンスしたりすることを疎かにしている人が多いです。「心技体」のバランスが大事とスポーツや格闘技などで昔から言われていますが、例えば「もう駄目だ」と思えばカラダは動かなくなってしまいます。反対に「まだやれる。いける」と思えば、まだまだカラダが動いて頑張れます。試合に負けたからといって、いちいち落ち込んでいても次にはつながりません。気持ちを切り替え、次の目標に向けて活動することが大事です。また、技術的な練習だけでなく、自分と向き合い心を鍛えるにはどうすればいいか、考える時間も持ちましょう。

POINT 2 次の試合に向けてなぜ負けたのかを しっかり分析する

なぜ負けたのかを分析することが大事です。相手選手に対して何が劣っていたのか、どんなテクニックができるようになったら次に勝てるのか、そういった分析をしっかり行いましょう。振り返りもせずに、試合後にただ「あ～負けた」と落ち込むだけではいつまで経っても実力は向上していきません。勝った場合も同じです。たとえ勝って終わったとしても、次に向けて自分が何をしなければいけないか、どんな課題があるかをつねに考える。そういったメンタリティがテニス選手には求められます。もし、試合の後に練習ができる環境であれば、そのまま試合中にミスをしたショットを練習したり、シミュレーションしてもいいでしょう。

POINT 3 技術が足りない分、 メンタルで盛り上げる工夫をする

基本的にメンタルが強い人は、考え方がポジティブな人が多いです。日頃からポジティブな考え方を身につけて高揚していくことがメンタルの強化につながります。技術や体力と同じだけ時間を使って取り組まないとメンタルは鍛えることができません。技術がついてこないから気持ちが盛り上がらないという人もいると思いますが、逆を言えばメンタルで足りない技術を補うこともできるのです。負けた試合や自分のプレーを振り返るのも嫌だという人もいますが、まずは自分の試合を動画で撮影して、どんなプレーや振る舞いをしているか客観的に見ることも重要です。

Part 7
シングルスの練習メニュー

シングルスに必要なテクニックやショット、
戦術を身につけるための練習メニューを紹介します。

ラリー練習

ラリーを打ち合い、実戦に近い生きたボールの中でショット力を向上させる練習です。

球出し練習

コーチなどに球出しをしてもらってから開始する練習メニューを紹介します。

ポイント練習

球出しまたはサーブから開始して、ポイントを取るまで行われることで、効率的により実戦に近い形で練習できます。

HEAD
adidas

コツ 41 Part 7 シングルスの練習メニュー

ラリー練習①
クロスコートラリー

メニュー① クロスコートラリーでお互いに打ち合う

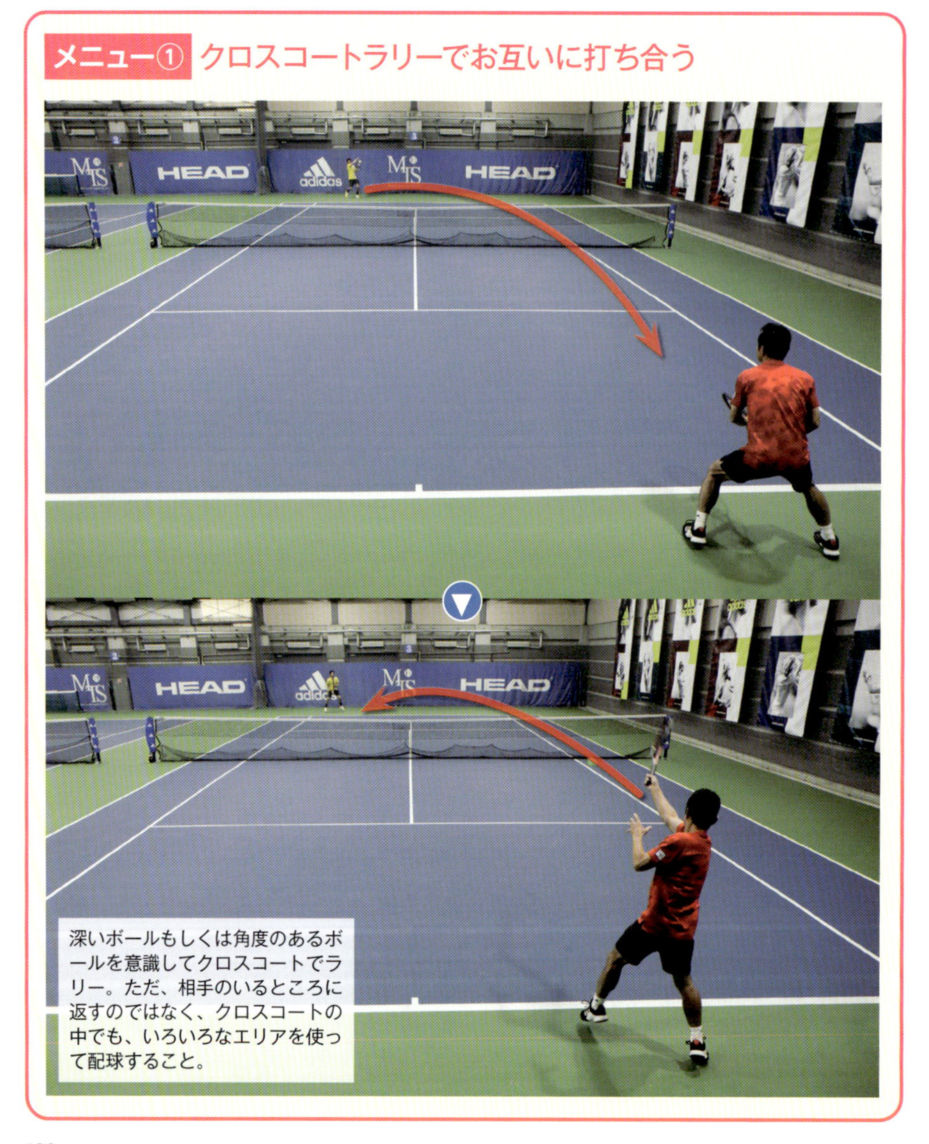

深いボールもしくは角度のあるボールを意識してクロスコートでラリー。ただ、相手のいるところに返すのではなく、クロスコートの中でも、いろいろなエリアを使って配球すること。

深く角度のある正確なラリーを続けよう

シングルスの試合中、クロスからストレートへ展開していく場面など、間違いなく一番使うことが多いコースがクロスです。そのため、クロスのラリーをミスしてしまうと致命傷になります。ラリーの要になるので、安定して打てるようにしましょう。

回数など
- ・時間・回数：約5分～10分間
- ・メリット・狙い：ネットの低い位置を通して深いエリアを狙ったり、角度をつけて打つ練習をしましょう。

メニュー② 毎回コートカバーをしてクロスコートラリー

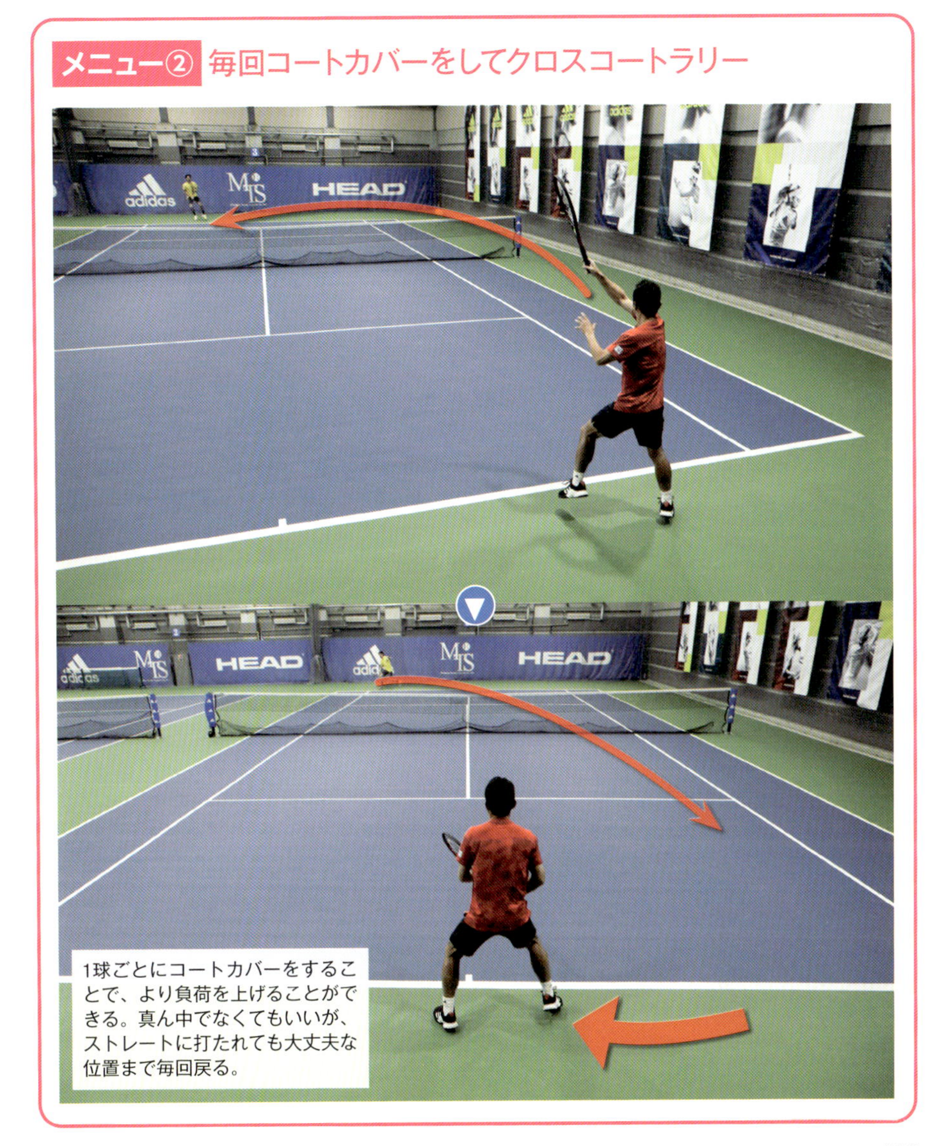

1球ごとにコートカバーをすることで、より負荷を上げることができる。真ん中でなくてもいいが、ストレートに打たれても大丈夫な位置まで毎回戻る。

ラリー練習②
コントロールラリー

メニュー① クロス、クロス、ストレート

1面を使い、片方がクロス、クロス、ストレートに展開し、もう1人は全てのショットをクロスに返球します。つねにお互いが先に動かすオフェンスと、動かされるディフェンスになり練習ができます。

ボールを打ち分ける技術を養おう

クロスへ２球打ち、３球目でコースを変えてストレートに打つラリーです。お互いに動きながらオープンエリアを狙い配給します。ラリーが途切れてしまっては意味がないので、ラリーが途切れないレベルで上手くスピードを調整しましょう。

回数など
- **時間・回数**：約5分～10分間
- **メリット・狙い**：動きながらつねにボールをコントロールする技術を養うことができます。

メニュー② クロス、ストレート

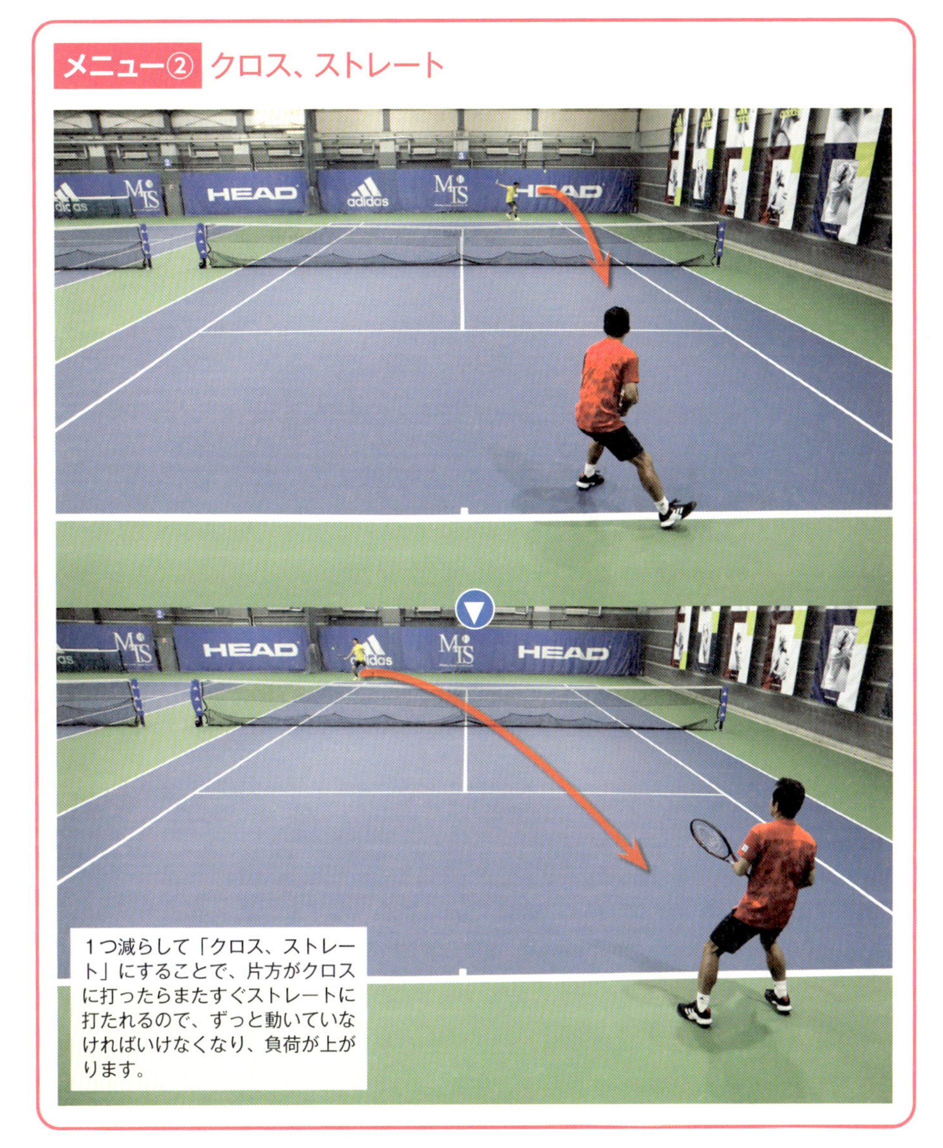

１つ減らして「クロス、ストレート」にすることで、片方がクロスに打ったらまたすぐストレートに打たれるので、ずっと動いていなければいけなくなり、負荷が上がります。

コツ 43
Part 7
シングルスの練習メニュー

ラリー練習③ ボレー対ストローク

メニュー① ストロークが半面、ボレーが1面でラリー

ボレーの練習の方をメインにする場合、ストロークが半面に立ち、ボレーが1面で行う。ストロークが相手コートの1面に打てるのに対して、ボレーは相手コートの半面にコントロールして打つこと。

1面に打つ方はより試合に近いラリーができる

ボレーとストロークで行うラリーです。半面と１面に分かれ、半面にコントロールする方はコートの端へ打つ技術を身に付けられます。1面に打つ方は動きながらの処理になるので、負荷が大幅に上がり、より試合に近いラリーができます。

回数など
・**時間・回数**：約２分～５分間
・**メリット・狙い**：動きの中でそれぞれのショットをレベルアップするための練習。ストロークはディフェンスエリア、ボレーはアタックエリアからフィニッシュエリアの範囲で動きます。

メニュー② ボレーが半面、ストロークが1面でラリー

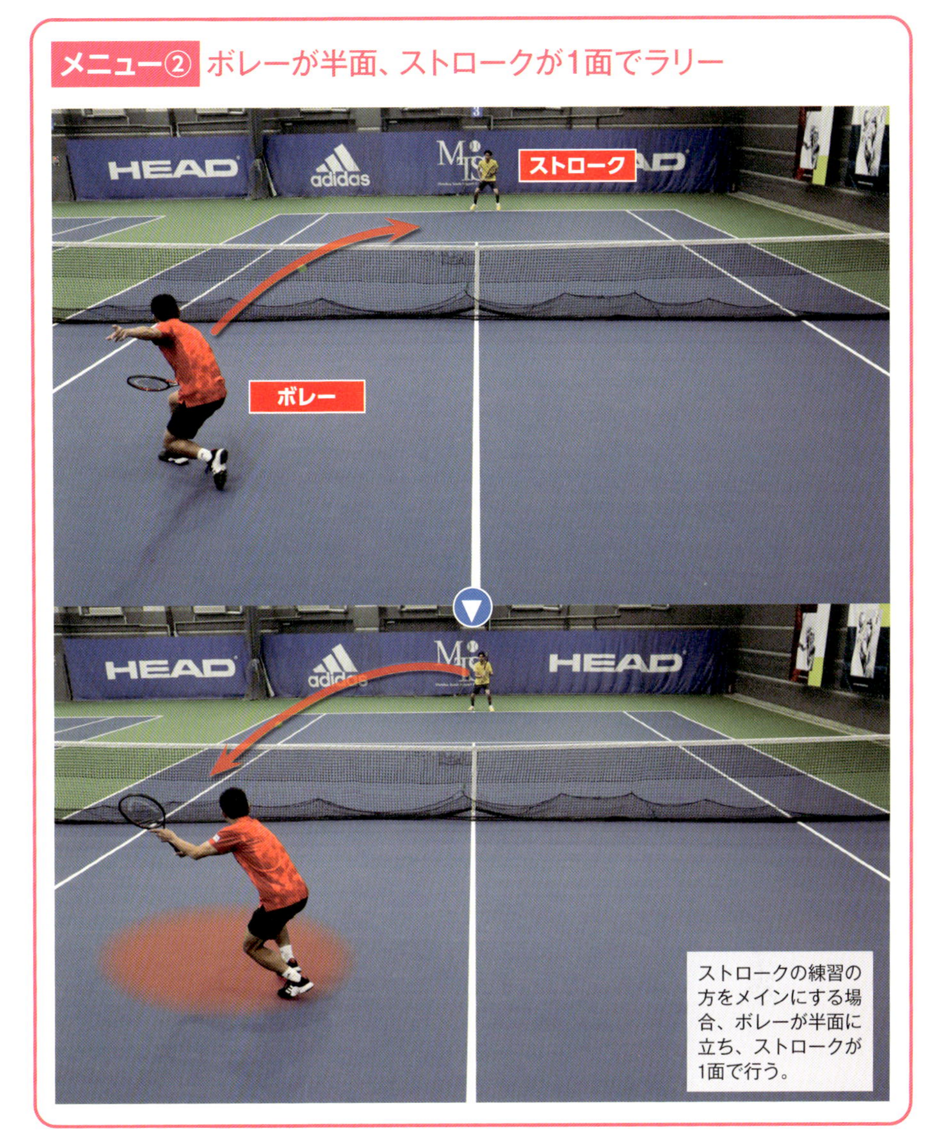

ストロークの練習の方をメインにする場合、ボレーが半面に立ち、ストロークが1面で行う。

コツ 44
Part 7
シングルスの練習メニュー

ラリー練習④ ボレーからのスマッシュ

メニュー① ボレー対スマッシュ

ボレーが１面、ストロークが半面に立ちラリーを行う。

ボレーの守備範囲を広げる練習

ボレーとストロークのラリー中、ストローク側がランダムでロブを打ち、ボレー側がスマッシュを打ちます。ボレー側はアタックエリアとフィニッシュエリアを移動し守備範囲を広くする練習です。ストローク側はディフェンスエリアで行います。

回数など
- **時間・回数**：約2分〜3分間
- **メリット・狙い**：ストローク側が、高い頻度でロブを打つことで、ボレー側はボレーとスマッシュの前後の動きの練習をすることができる。

ロブを数回に1回打つ。ボレー側は上へ抜かれたときの守備範囲を広くするのと、スマッシュを打った後、瞬時にまたフィニッシュエリアに入る動きを練習できる。

球出し練習①
相手を動かすための練習

メニュー① フォアハンドでストレート、クロスに打つ

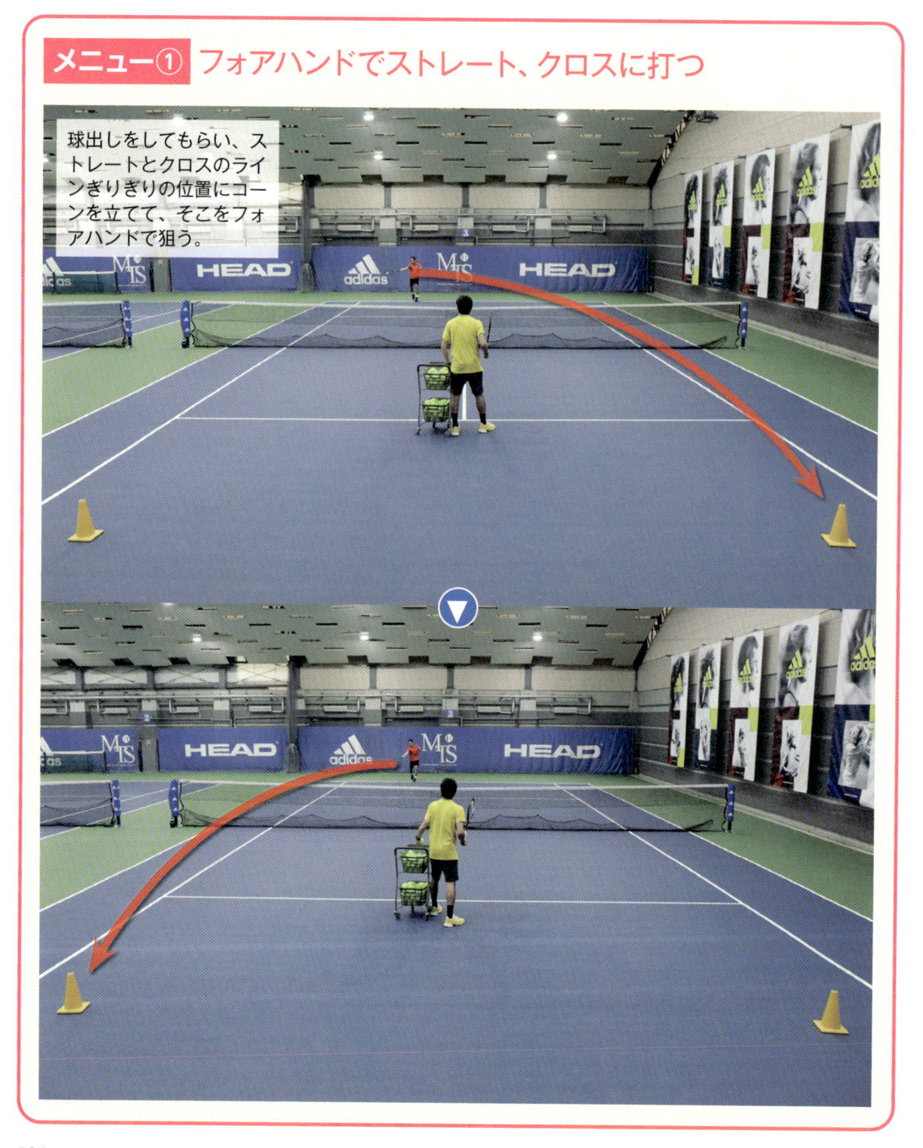

球出しをしてもらい、ストレートとクロスのラインぎりぎりの位置にコーンを立てて、そこをフォアハンドで狙う。

1球ごとに全力でスイングして打つ

フォアハンド、バックハンドそれぞれストレートとクロスに立てたターゲットを狙って打つ練習です。大事なのは1球１球全力でしっかりとスイングをして威力のあるボールを打つこと。ボールのスピードや回転量を落としたりすると効果がありません。

- 時間・回数：1セット10球ずつ
- メリット・狙い：ディフェンスエリアから正確にオープンエリアにコントロールする精度を上げ、相手を動かすための練習。

メニュー② バックハンドでストレート、クロスに打つ

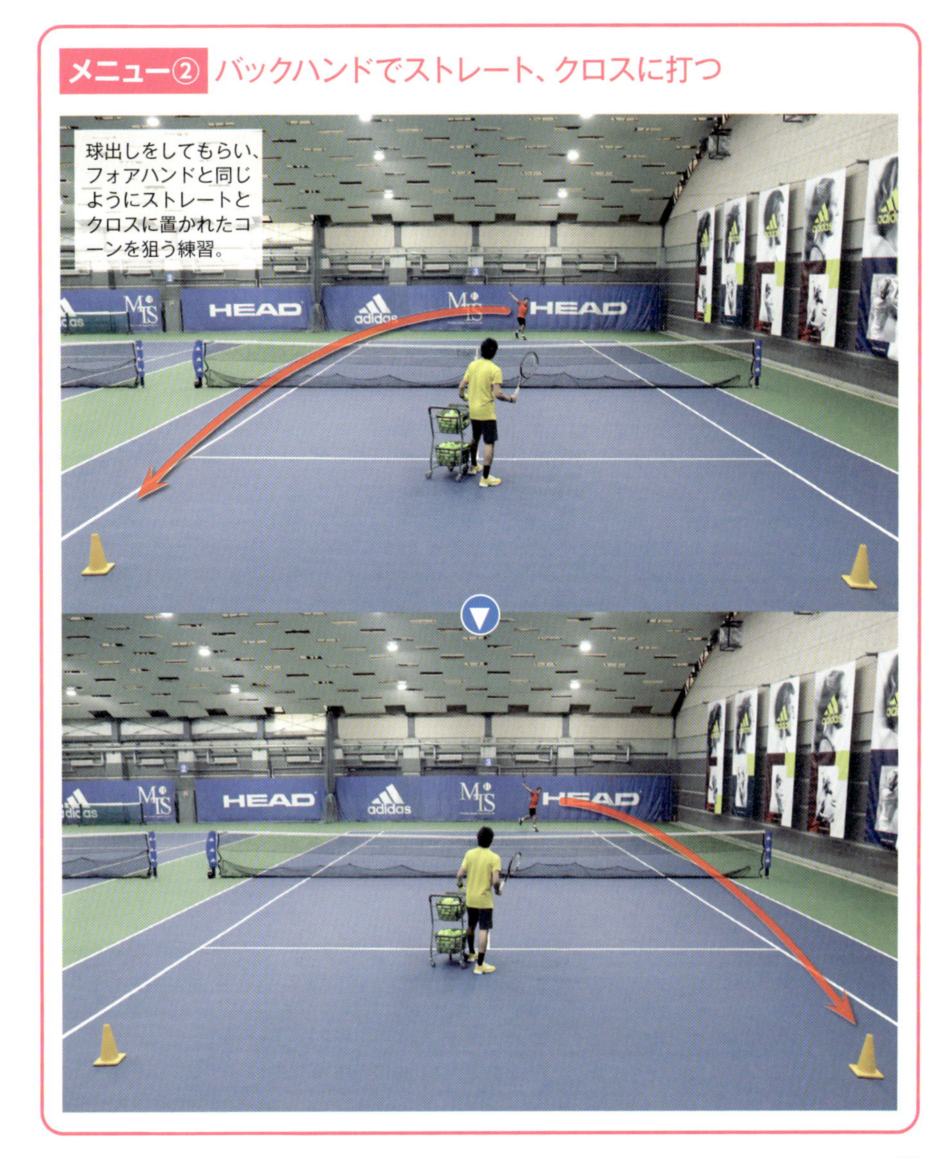

球出しをしてもらい、フォアハンドと同じようにストレートとクロスに置かれたコーンを狙う練習。

球出し練習②
動かされた状態を想定した練習

メニュー① フォアハンドとバックハンドの左右打ち

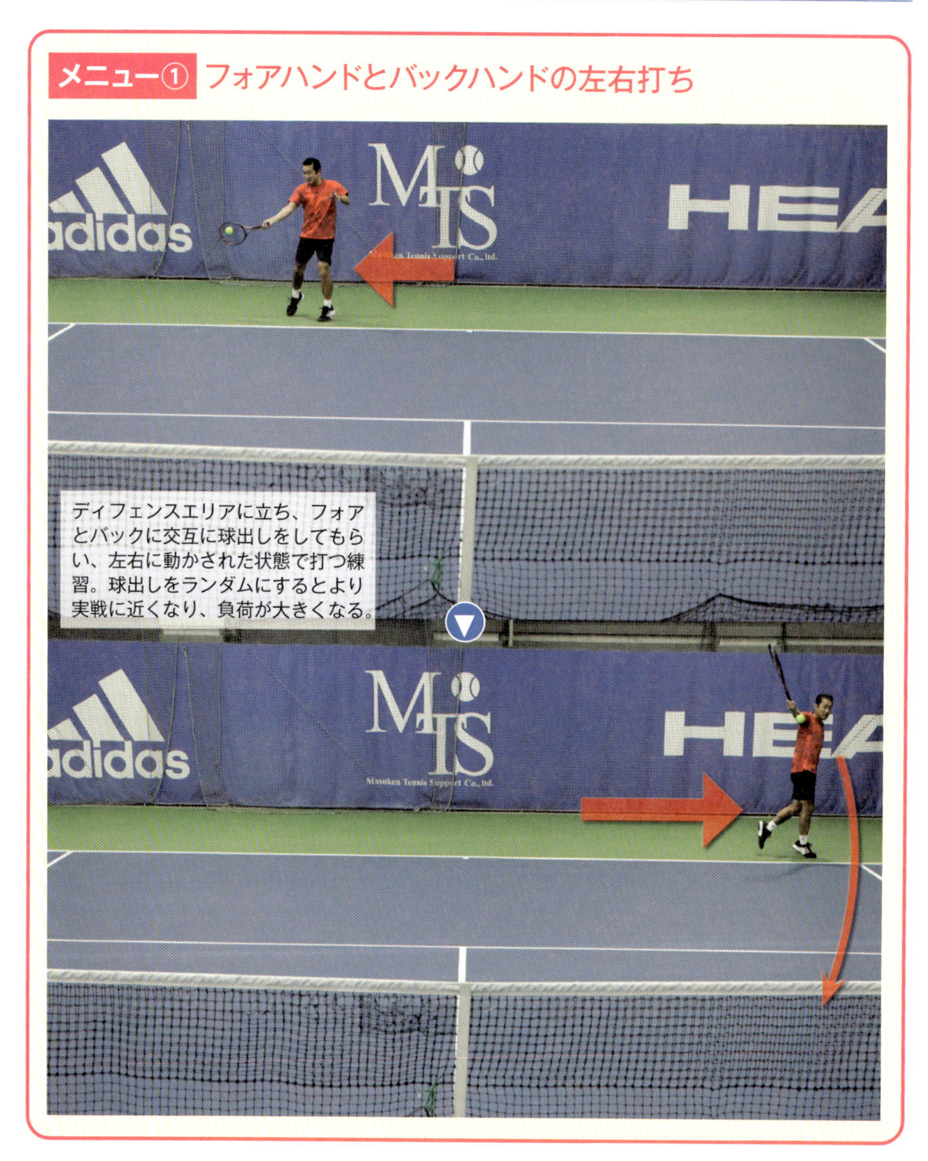

ディフェンスエリアに立ち、フォアとバックに交互に球出しをしてもらい、左右に動かされた状態で打つ練習。球出しをランダムにするとより実戦に近くなり、負荷が大きくなる。

バランスを崩さずにしっかりと処理する

フォアサイド、バックサイドに交互に出されたボールを、フォアハンド、バックハンドで打つことで、左右に動かされた状態を作ります。コートを走りながらも、しっかりとボールを処理することができるようにする練習です。

回数など

- **時間・回数**：4球〜10球
- **メリット・狙い**：走らされた状態から、しっかり止まってバランスを崩さずに処理できるようになるための練習。

メニュー② 回り込んでフォアハンドで打つ

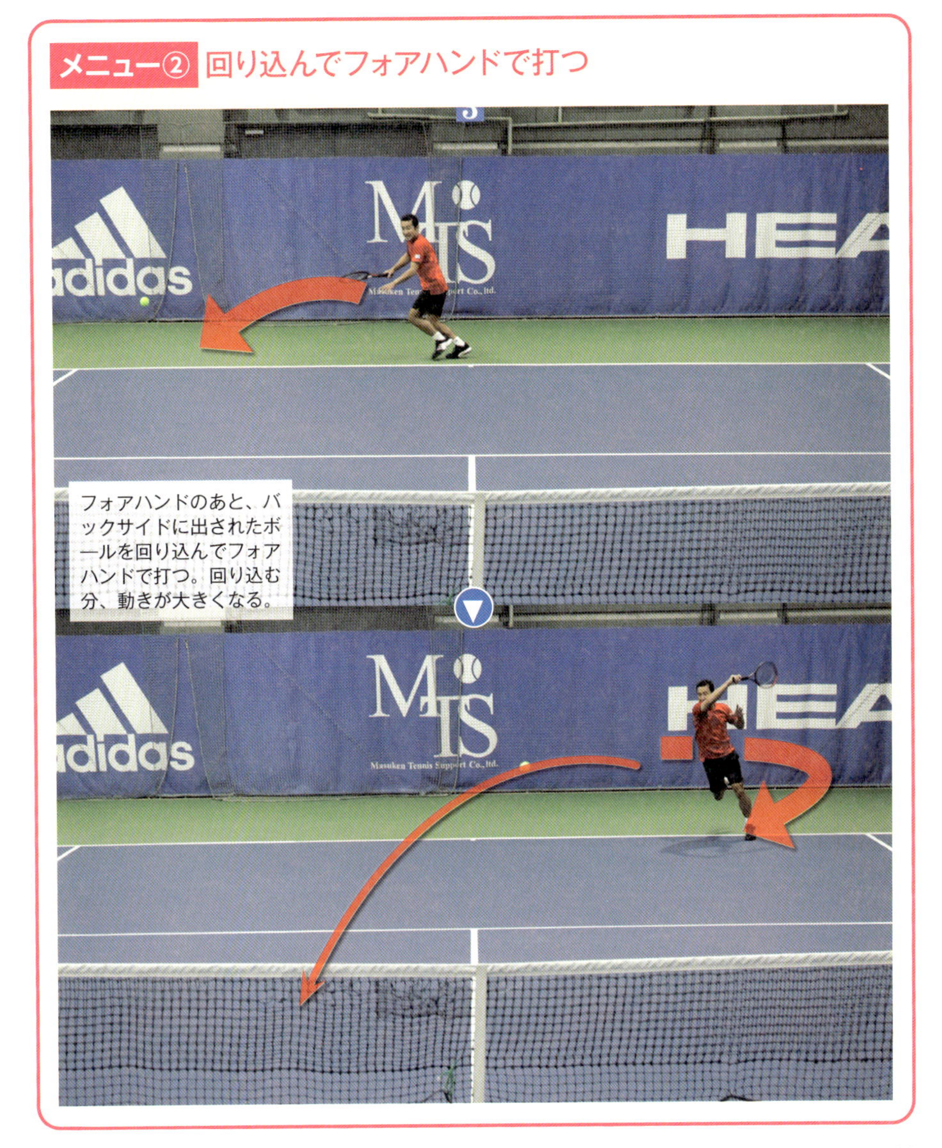

フォアハンドのあと、バックサイドに出されたボールを回り込んでフォアハンドで打つ。回り込む分、動きが大きくなる。

球出し練習③ チャンスボールの打ち込み

メニュー① アタックエリアに居続けてチャンスボールを打つ

アタックエリアにいる状態でチャンスボールを打ち続ける。アタックエリアからの打ち込みがしっかり叩き込めるようになるための練習。

1球ごとに必ず決める気持ちで打つ

球出しをしてもらい、チャンスボールの打ち込みの練習をします。チャンスボールは試合の中でも数少ないショットで、試合を左右する可能性があるショットです。1球ごとに必ず決める気持ちで、試合をイメージして、しっかり練習しましょう。

回数など

- **時間・回数**：メニュー①4球～6球、メニュー②10球～
- **メリット・狙い**：試合をイメージしてチャンスボールを決めるようになる練習。

メニュー② アタックエリアに入りながらチャンスボールを打つ

ディフェンスエリアからスタートして、アタックエリアに入りながらチャンスボールを1本打ち、またディフェンスエリアに戻るをくり返す。

コツ 48
Part 7
シングルスの練習メニュー

ポイント練習①
ストロークポイント

メニュー① ストロークポイント

サービスではなく、選手自身またはコーチでも構わないので、球出しからスタートする。初球だけ相手のいる位置へ返球すれば後はどのようにプレーしても構わない。

サービスを省いてストロークから開始する

ストロークのラリー戦での展開力を強化するためにサービスとリターンを省いて、ストロークからポイントを開始します。

ポイント間の休みも少なくなるため、カラダにかかる負荷も大きくなり、フィジカルの強化にもつながります。

回数など
- **時間・回数：5〜11ポイント**
- **メリット・狙い：ストロークの展開力を身につける**

ラリーを開始したら、どちらかがポイントを取るまで試合形式で進める。カウントは11ポイントでもかまわない。より試合を意識して5ポイント先取で数ゲーム行う。

コツ 49
Part 7
シングルスの練習メニュー

ポイント練習②
ボレー対パッシング

メニュー① ボレー対パッシング

球出しでスタートする。アプローチ側はストレートにコントロールする。

アプローチ後のボレーとパッシングの練習

アプローチからボレーに出る動きとパッシングを学ぶ練習。アプローチ側は必ず1球目をストレートへアプローチしてボレーへ入ります。パッシング側は1球目からどんな手段を使ってもいいのでパッシングを打ちます。ポイントを取るまで行います。

回数など
- **時間・回数：11ポイント**
- **メリット・狙い：アプローチショットから前へ出る動きとパッシングの練習。**

ストレートに来たアプローチをパッシング。パッシングはどこに打ってもかまわない。

その後は、パッシング対ボレーのポイント勝負をする。

ポイント練習③ ゲーム形式

メニュー① ゲーム形式のポイント練習

サービスからスタートして、完全に試合と同じ形式で進めよう。

新しいテクニックや普段やらないプレーを試そう

模擬的なゲームを、実際の試合と全く同じスコアで進めます。唯一、実際の試合と違う所は勝ち負けをそこまで意識しなくても良い点です。今までの練習で得た新しいテクニックを積極的に使ってみたり、普段あまりやらないプレーを試しましょう。

回数など

- **時間・回数**：数ゲーム
- **メリット・狙い**：学んだテクニックを試合で行う前に、練習の中で試すことが目的です。

写真のように、普段あまり使わないサーブ＆ボレーを試すなど、今まで学んだことを勝ち負けを意識しないで思い切って挑戦してみよう。

監修 増田健太郎

元日本代表コーチ。1971年生まれ。湘南工科大学付属高校在籍中、インターハイ個人戦・団体戦、全国選抜、全日本ジュニアなど国内のジュニアタイトルをすべて制覇。93年、94年天皇杯全日本テニス選手権シングルス2連覇。元日本テニス協会ナショナルチーム・デビスカップ代表コーチ/元日本オリンピック委員会強化スタッフ。日本テニス協会公認S級エリートコーチ。JOP国内ランキング最高位シングルス3位/ダブルス2位。2008年北京オリンピック、2012年ロンドンオリンピック日本代表コーチ。2007～2017年日本代表ナショナルチームのコーチとして、当時ナショナルメンバーであった錦織、添田、伊藤、杉田、内山、西岡、ダニエル等を指導。マスケン・テニス・サポート株式会社代表。MTSテニスアリーナ三鷹の運営を行い、MTS強化選手の内山靖崇や大前綾希子の指導にあたっている。

モデル 渡辺由教

1979年生まれ。MTSテニスアリーナ三鷹 総支配人。大成高等学校テニス部総監督。

モデル 内山靖崇

1992年生まれ。北海道札幌市出身。ナショナルチームデビスカップ日本代表メンバー。2015年全日本選手権シングルス優勝。2017年楽天ジャパンオープンダブルス優勝。

MTSテニスアリーナ三鷹

住所：〒181-0013 東京都三鷹市下連雀７丁目17-20
受付時間：月16:30～23:00
火～金8:30～23:00
土7:30～23:00
日7:30～18:00
電話：0422-26-8077

STAFF
●企画／株式会社多聞堂
●編集・執筆／浅井貴仁（エディットリアル株式會社）
●撮影／矢信雄、PIXTA
●デザイン／田中図案室

テニス 勝つ!シングルス
試合を制する50のコツ 増補改訂版

2022年6月25日　　第1版・第1刷発行

監修者　増田健太郎（ますだ けんたろう）
発行者　株式会社メイツユニバーサルコンテンツ
　　　　代表者　三渡　治
　　　　〒102-0093 東京都千代田区平河町一丁目1-8
印　刷　株式会社厚徳社

ご意見・ご感想はホームページから承っております。
ウェブサイト　https://www.mates-publishing.co.jp/

編集長:堀明研斗　企画担当:堀明研斗／千代 寧

※本書は2018年発行の『テニス 勝つ! シングルス 試合を制する50のコツ』を元に加筆・修正、装丁を変更し、「増補改訂版」として新たに発行したものです。